Le Pape chez nous

Vous pouvez vous procurer ce livre
chez votre libraire habituel
ou chez NOVALIS:
Ottawa (613) 560-2542;
Montréal (514) 382-8432.

Guy Marchessault, journaliste, est animateur en communication au Centre d'animation Saint-Pierre de Montréal, 1212, rue Panet, Montréal, H2L 2Y7.

Maquette:

Alain Geoffroy et Gilles Lépine

Photographies:

Toutes les illustrations de ce livre ont été fournies par l'Agence SYGMA, sauf les suivantes:
20 (bas), 34, 44, 71, 79, 104, Agence Gamma;
52, 98, 120, Paul Hamel;
13, 101, Mark Bell;
22, Mario Beauregard;
48, Lionel Benoît;
60, Alain Dion;
97, 111, Eric;
115, Mike Melick;
134, Jean-Roch Duchesne;
136, Vivant Univers.

Dépôt légal:

1er trimestre de 1984
Bibliothèque nationale du Canada
Bibliothèque nationale du Québec

Distribution:

Novalis, C.P. 700, Hull, Qué.,
Canada, J8Z 1X2

ISBN: 2-89088-150-4

Guy Marchessault

Le Pape chez nous

Anecdotes, citations, photographies
de Jean-Paul II

NOVALIS

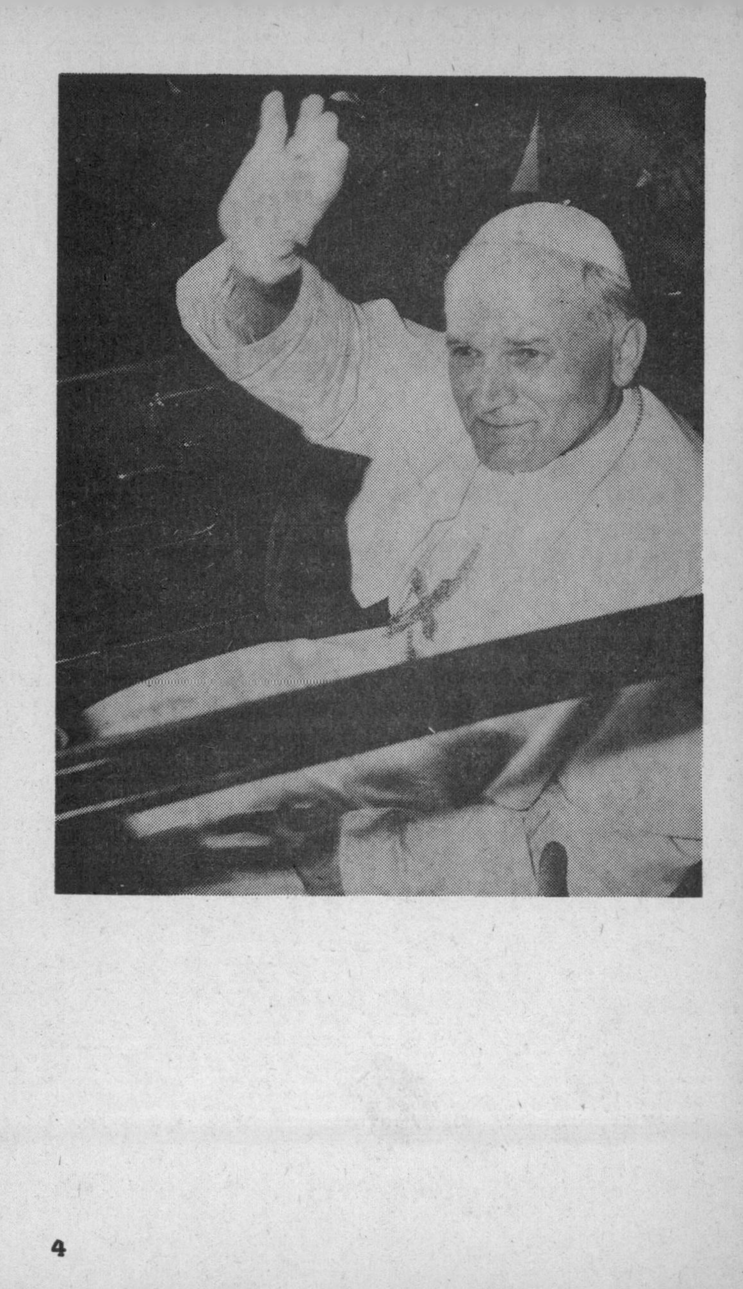

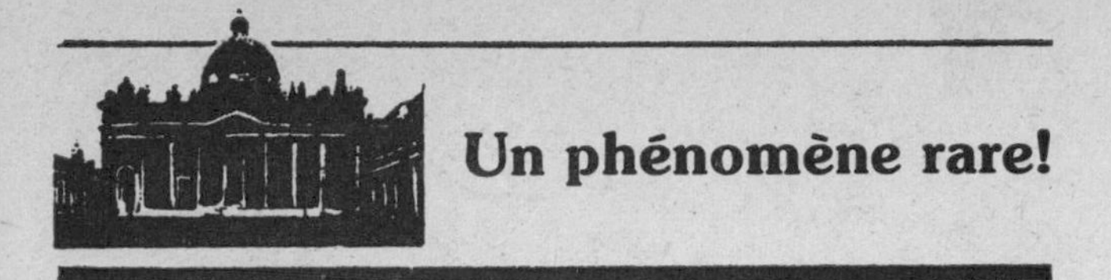

Un phénomène rare!

«Karol Wojtyla a été poète, acteur, étudiant plein de promesses en art dramatique et en littérature, écrivain et journaliste, manœuvre, membre d'une conspiration en temps de guerre, skieur, kayakiste, nageur, patineur, alpiniste, footballeur, théologien et philosophe brillant, prêtre, conférencier, professeur, évêque, archevêque, cardinal et, pour finir, pape. Que peut-on raisonnablement espérer de plus de la part d'un homme au cours de cinquante-huit ans d'existence?» (Georges BLAZYNSKI, *Jean-Paul II, Un homme de Cracovie*, Paris, éd. Stock, 1979, page 278).

La vie du pape Jean-Paul II s'est jouée autour de cinq villes, qui en dévoilent le sens et les options:

— Wadowice: lieu de sa naissance, adossée aux montagnes toutes proches où il ira si souvent skier plus tard;

— Jasna Gora, où se trouve le plus célèbre sanctuaire de Pologne, Czestochowa, dédiée à la Vierge noire, centre de la piété populaire;

— Cracovie: l'antique ville universitaire, où Karol Wojtyla vivra la terreur nazie, les études, le travail pastoral et universitaire et l'épiscopat;

— Nowa Huta: la ville communiste prototype où les chrétiens — sous l'inspiration de Mgr Wojtyla — parviendront envers et contre toutes les tracasseries à bâtir leur église;

— Rome: qui verra Karol Wojtyla étudiant, évêque, participant actif au concile Vatican II, présent aux

Une photo de famille qui plaît sûrement au pape: son père, sa mère, et lui, à l'âge de deux ans, sur les genoux de son père.

congrégations romaines, cardinal et finalement pape.

Si le pape Jean-Paul II est d'origine polonaise, on peut dire maintenant que le monde est sa patrie. «Pais mes agneaux, pais mes brebis», avait dit Jésus à Pierre, le premier pape. Jean-Paul II suit ses traces en visitant les chrétiens catholiques partout à travers le monde.

«Lolek» au jour de sa première communion.

Ses amis l'appelaient «Lolek»...

«Lolo», «Lolus»: c'était le surnom affectueux que sa mère lui donnait. Ses amis, ses professeurs, ses voisins, quant à eux, l'appelaient «Lolek» (diminutif de Karolek, prononcé un peu déformé: Kalolek). Encore aujourd'hui, dans la petite ville de Wadowice, où il est né le 18 mai 1920 (il y fut baptisé le 20 mai suivant), tout le monde réfère à lui sous le nom de «Lolek», même son curé.

Karol Wojtyla (on prononce: «voïtéoua») est le fils d'Emilia Kaczorowska, une institutrice dont les parents venaient de Silésie (une province polonaise où on parlait beaucoup l'allemand à cause de l'occupation autrichienne) et de Karol Wojtyla père, un ancien militaire retiré, officier dans l'administration de l'armée polonaise et dont le propre père avait été tailleur à Czaniec, province de Galicie.

Wadowice était une petite ville située à environ 50 kilomètres au sud-ouest de la cité de Cracovie, deuxième ville en importance de Pologne et qui s'enorgueillissait d'un imposant passé historique. À Wadowice s'échangeaient les produits de ferme des environs.

La famille Wojtyla vivait très modestement de la petite pension d'armée du père. Elle habitait un deux pièces, à l'étage d'une maison très simple située près de l'église; on y avait accès par un incommode escalier de fer dans la cour. La mère de Karol devait faire de la couture pour augmenter les maigres revenus familiaux.

Karol (première rangée, tête rasée), entouré de ses camarades de classe et aussi de son père.

Karol connut très tôt la tristesse des mortalités familiales. Sa mère, de santé fragile, s'éteignit le 13 avril 1929 en donnant naissance à une fille mort-née; Karol n'avait que 9 ans. Déjà les parents Wojtyla avaient perdu une fille en bas âge, quelques années avant la naissance de Karol. Le père restait donc avec deux fils: Karol, et un frère de douze ans son aîné, Edmond, qui achevait ses études de médecine. Malheureusement lui aussi disparut tragiquement: après seulement 3 ou 4 ans de pratique médicale, il mourut en 1932 d'une scarlatine contractée auprès de ses malades à l'hôpital de Bielsko.

Les Karol père et fils demeurèrent donc tous les deux seuls dans la vie durant près d'une dizaine d'années, tissant des liens très forts au plan affectif. Homme tendre et très cultivé, le père amenait très souvent son fils le dimanche faire des promenades dans les collines avoisinant Wadowice, ou plus tard le conduisait en compagnie de son frère au stade de Bielsko voir les footballeurs. En bon militaire, M. Wojtyla imprima à «Lolek» une forte discipline, exigeant un horaire quotidien de travail très précis, de même que certaines privations (ex. coucher au froid, sur le plancher). Par contre, il s'occupait de nourrir, laver, tenir maison le mieux possible.

Le pape parle aux...

Jeunes

Vous êtes à l'âge où se préparent les grandes orientations d'avenir. Dans notre société matérialiste, une des tâches des jeunes est de rejeter le conformisme et la timidité, afin de retrouver un authentique esprit chrétien.

* * *

Préparez votre vie professionnelle, celle que vous avez soigneusement choisie, comme un service en faveur de l'homme, comme un acte d'amour envers l'humanité. Le monde a besoin d'hommes et de femmes bien préparés, heureux, responsables, à qui sera confiée la vie des individus et de la communauté de demain. L'humanité a besoin de personnalités bien équilibrées, mûries, généreuses et qui sachent dépasser leur égoïsme.

* * *

Transformez le monde avec l'amour, comme le pape Jean XXIII nous l'a enseigné, afin que la cité terrestre progresse dans la justice, la fraternité et la paix.

* * *

Vivez en communication étroite avec les hommes de votre temps. Efforcez-vous de comprendre leurs préoccupations et leur mentalité. Appliquez-vous à réaliser l'harmonie entre les récentes découvertes de la science, les perfectionnements technologiques et les enseignements de la doctrine chrétienne.

Oeuvrons ensemble pour une société libre de discriminations et de préjugés, où puissent régner l'amour et non la haine, la paix et non la guerre, la justice et non l'oppression. C'est vers cet idéal biblique qu'il nous convient de regarder toujours, puisqu'il nous unit si profondément.»

(Diverses allocutions à des jeunes, 1980 à 1981)

Le premier Pape non-italien depuis 1522

En 1976, le cardinal Karol Wojtyla est mandé par Paul VI pour prêcher la retraite annuelle au pape et à la Curie. Cela le fera connaître et apprécier de plusieurs au Vatican.

Aussi n'est-il pas surprenant que, lors du conclave du 26 août 1978 choisissant Jean-Paul I, Karol Wojtyla ait — selon la rumeur — récolté un certain nombre de votes. Albino Luciani, le pape au sourire, ne devait régner que 33 jours.

Selon ses proches collaborateurs, c'est avec un peu d'anxiété que le cardinal Karol Wojtyla entrait de nouveau en conclave le 15 octobre suivant. Il devait en sortir pape le lendemain.

D'après la rumeur — le secret entoure les délibérations — il semble que les premiers votes aient fait ressortir un blocage entre deux cardinaux italiens, Benelli et Siri. Devant l'impasse, on s'orienta vers un cardinal de compromis, non italien. Le cardinal Wojtyla aurait obtenu la majorité requise (soit les deux tiers des voix plus une) au septième tour, mais il n'aurait pas accepté tout de suite. Au huitième tour, 104 des 111 cardinaux présents — plus de 93% — auraient voté pour lui: il accepta la charge.

Le conclave venait de créer d'importantes surprises: en élisant le premier pape non-italien depuis près de 350 ans; en choisissant un évêque originaire des pays de l'Est sous régime communiste, et en plaçant à la tête de l'Église un homme d'à peine 58 ans, le plus jeune depuis bien longtemps.

Cette élection ne manquerait pas d'avoir des conséquences politiques importantes. Comment réagiraient les pays de l'Est, et particulièrement la Pologne, devant la nouvelle stature internationale donnée à un membre d'une Église réduite au silence jusqu'à récemment? Et le Tiers-monde?

À 18 h 18, le 16 octobre, la fumée blanche sortait de la cheminée de la chapelle Sixtine. Peu après, le cardinal Felici annonçait aux gens rassemblés sur la place Saint-Pierre qu'un nouveau pontife était choisi et que son nom était... Karol Wojtyla. Surprise. On ne le connaissait pas. Un étranger. «Quelqu'un venu de loin» qui eut vite fait de conquérir la foule en lui parlant un parfait italien. Le peuple acceptait un Polonais comme nouvel évêque de Rome... et donc comme pape.

Karol Wojtyla choisit comme nom «Jean-Paul II». En souvenir des apôtres saint Jean et saint Paul; mais aussi en rappel des papes précédents: Jean XXIII, Paul VI, et Jean-Paul 1er. Son nouveau nom symbolisait donc à la fois l'élan apostolique, le lien avec le concile et la continuité.

Immédiatement, le nouveau pape imposa sa personnalité très décontractée. Il visita, le soir même de son élection, un ami à l'hôpital; il commença à voyager rapidement à Assise et Sienne, en l'honneur des patrons de l'Italie saint François et sainte Catherine; il embarrassa les services d'ordre en se mêlant volontiers à la foule partout où il passait...

Jean-Paul II allait amplifier son rôle de pasteur de l'Église universelle.

I SOMMI PONTEFICI ROMANI

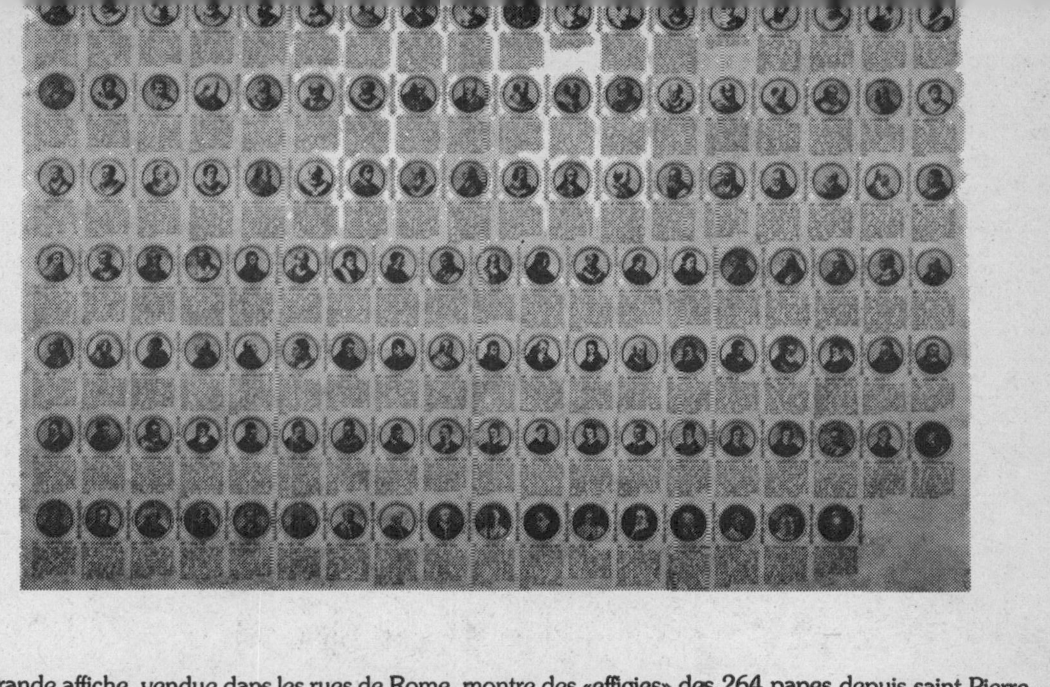

Une grande affiche, vendue dans les rues de Rome, montre des «effigies» des 264 papes depuis saint Pierre.

Football, natation, ski, canoe, kayak, marche en montagne, bicyclette: quelques-uns seulement des sports que pratiquait le prêtre et l'évêque Wojtyla. Il affectionnait particulièrement les randonnées de groupes.

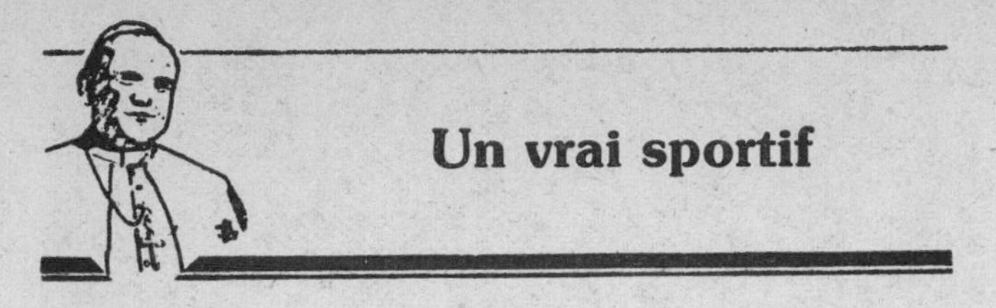

Un vrai sportif

«Lolek» débuta à l'école primaire en 1927. Son père hésita à le mettre dans une des deux institutions secondaires privées (dirigées par des religieux) et en 1931 il préféra l'envoyer au «gymnasium» public. Ce n'était pas qu'il n'ait pas de fortes convictions religieuses, bien au contraire, mais il préférait un milieu plus ouvert pour son garçon.

À l'école, «Lolek» était bon premier en tout, ce qui le rendit populaire auprès des garçons et des filles; il fréquenta d'ailleurs l'une d'elles assidûment. «De tous ceux à qui j'ai eu la bonne fortune d'enseigner, rappelle un de ses vieux professeurs aujourd'hui curé de Wadowice, Lolek était le plus proche du génie.»

Il excellait aux études, mais également adorait le chant, le théâtre, le cinéma... et le sport. Il tâtera en fait de presque tous les sports: randonnées pédestres, course à pied, boxe, volleyball, ski, patin, et particulièrement le football (où il excellait comme gardien de buts). Plus tard, il pratiquera la bicyclette, le ski de randonnée, le tennis, le canoë, le kayak sur les rivières, et il ne cessèra jamais de pratiquer la natation et l'escalade. Ces différentes activités sportives deviendront plus tard un lieu privilégié de son ministère.

À l'âge de 13 ans, il fonde — avec l'aide d'un professeur — une «congrégation mariale», groupe de piété qu'il dirigera pendant trois ans. En même temps, il découvre comme beaucoup d'enfants de

«Mon oncle» (c'est ainsi qu'il aimait se faire appeler) profitait des moments de détente et d'efforts physiques pour refaire ses forces, mais aussi pour amener ses compagnons de sport à d'intenses moments de réflexion, en pleine nature, sur le sens de leur vie.

Wadowice l'attirance du théâtre, de la poésie, grâce à un professeur remarquable qui deviendra l'un des directeurs de troupe les plus connus de Pologne, Mieczyslaw Kotlarczyk. Vite il participe à un cercle d'art dramatique, où on lit des poèmes, on exécute des chants, on monte des pièces de théâtre; il devient rapidement l'un des meilleurs acteurs.

Karol Wojtyla passe son baccalauréat brillamment en 1938 et songe à se diriger à l'université. Mais son père n'est pas riche. Pour donner à son fils la chance de poursuivre des études supérieures, père et fils déménagent à Cracovie, dans le sous-sol d'une maison appartenant à la famille de la mère de Karol.

Le pape parle du...
sens de la vie

Quand vous êtes étonnés du mystère de votre existence, regardez vers le Christ qui nous offre le sens de la vie. Quand vous cherchez à savoir ce que cela signifie d'être une personne mûre, regardez vers le Christ qui est la plénitude de l'être humain. Et quand vous cherchez à imaginer votre rôle dans le monde de demain, regardez le Christ.

(Osservatore Romano, 20 mai 1980.)

JEU-PARTICIPATION

Qui est Jean-Paul II?

Nom: ____________ Prénom: ____________

Né à ____________ le ____________ 19 ____

Nom du père: ____________________________

Nom de la mère: __________________________

Sports favoris: ___________________________

Sorte d'études

à l'université: ___________________________

Nom du groupe théâtral où il a été
acteur: _________________________________

Année d'entrée au grand séminaire: _____

Année d'ordination: _______________________

Les deux paroisses où il fut
vicaire: ________________

____

Professeur à quelle université: ___________

qu'est-ce qu'il enseignait? ___________

Quelles sont les 5 villes qui ont marqué sa vie:

____

____

____

____

____

Nommé évêque en 19 ____

Nommé archevêque de Cracovie en 19 ____

Reçu cardinal en 19 ____

Élu pape le ________________ 1978

Visitera le Canada du ________________

au ________________ septembre 1984

N.B. — Vous trouverez facilement les réponses en lisant ce livre.

Prochain jeu-participation, p. 40

Les détails sur le jeu se trouvent en page 147.

Acteur engagé et ouvrier

Karol Wojtyla entreprend ses études en lettres polonaises en 1938, à l'Université Jagellon, l'une des plus célèbres institutions d'enseignement de Pologne, fondée en 1364. Il est fasciné par la langue polonaise et par la force des mots, du discours. Rapidement il se joint à une fraternité théâtrale: il récite des poèmes, lit des textes d'auteurs en public et joue dans des pièces.

L'été suivant, il fait son service militaire.

Mais le 1er septembre 1939, c'est la mauvaise surprise et le cauchemar qui commence. Heureux du pacte de paix qu'il vient de signer avec Moscou, Hitler envahit la Pologne en une guerre-éclair. Karol est justement en train de servir la messe lors du premier bombardement de Cracovie.

Hitler, qui n'a que dédain pour les Polonais, ordonne la fin de l'enseignement supérieur. Les professeurs de l'Université Jagellon sont envoyés en camps de concentration, tués ou déportés. C'est la consternation chez les étudiants. Quelques professeurs ont échappé à la rafle: ils organisent avec les étudiants, au risque de leur vie, un réseau clandestin d'enseignement.

Karol ne fait pas qu'étudier. Il redouble de participation dans les groupes de poésie et de théâtre. Bientôt il héberge son ancien professeur de théâtre de Wadowice; ensemble, ils formeront un groupe clandestin, le *théâtre Rhapsodique*, qui se produira dans des maisons privées devant des auditoires sé-

À peine arrivé à la vingtaine, Karol Wojtyla aura déjà connu les tristesses des décès dans sa famille et les horreurs des débuts de la guerre. On le voit ici en compagnie de sa marraine, en 1943.

lectionnés, sous la menace constante d'un coup de filet des Nazis. Ils monteront ainsi 22 pièces (dont 5 premières) d'auteurs et de poètes nationalistes polonais. Karol sera l'un des cinq acteurs principaux. C'est l'époque où, semble-t-il, il connaîtra un amour de jeunesse.

Mais le danger guette le fougueux étudiant. Il doit se décrocher au plus tôt un travail régulier, faute de quoi il peut être déporté à tout moment en Allemagne. Il est engagé à l'usine chimique Solvay en 1940 et y restera 4 ans, d'abord comme manœuvre pour transporter la pierre d'une carrière dans des petits wagonnets sur rails; puis il devient assistant de l'artificier, chargé de placer les bâtons de dynamite dans les cavités à faire exploser. Enfin il est transféré plus près de Cracovie, au département de purification des eaux: il doit transporter des baquets de chaux sur ses épaules avec un joug et les mélanger dans les bonnes proportions de façon à purifier l'eau de tout dépôt calcaire. Son travail, surtout dans les débuts, est risqué et pénible. Mais il lui garantit sa «carte de travail», qui le protège contre des rafles inopportunes. Il accomplit son boulot de nuit, très rapidement: ce qui lui laisse quelques heures pour lire et continuer ainsi ses études aux petites heures du matin.

Il continue d'écrire des poèmes et des pièces de théâtre. L'une d'entre elles s'est rendue jusqu'à nous, et fut présentée récemment à la radio italienne: il s'agit de «Devant la boutique du joaillier», une sorte de monologue-dialogue sur le sacrement de mariage.

En prière devant la tombe du premier pape, dans la crypte de Saint-Pierre de Rome.

Le Pape parle aux...
travailleurs

Je viens pour attester la sollicitude de l'Église pour le monde du travail et pour la dignité de la personne de chaque travailleur.

Je ne vous cache pas que je revis encore une fois, aujourd'hui comme en d'autres circonstances semblables, l'expérience du travail manuel que la Providence m'a réservée durant ma jeunesse. Ce fut un moment difficile de ma vie; difficile, certes, mais heureux.

Et ceci non pas seulement pour la satisfaction qu'on éprouve à soumettre la matière à la domination de l'intelligence, mais encore et surtout pour le réseau d'amitiés et les liens de participation solidaire avec tous ceux qui sont fraternellement unis dans le même labeur.

(Discours aux ouvriers de San Salvo, en Italie, mars 1983.)

Pourquoi le pape jouit-il d'une telle influence dans le monde?

Un Pape, ça sert à quoi?

«Tu es Pierre, et sur cette pierre je bâtirai mon Église.» Telle est la fonction confiée à l'apôtre saint Pierre par Jésus après sa résurrection. «Pais mes agneaux... Solidifie la foi de tes frères.» Pierre devint ainsi le premier pasteur dans l'Église ancienne.

Par la suite, tout comme l'apôtre Paul, Pierre vint s'installer à Rome. Les deux moururent martyrs; saint Pierre fut enterré au pied de la colline du Vatican. Depuis lors, les évêques de Rome qui lui ont succédé sont considérés être au cœur de la tradition de l'Église.

Combien de papes y a-t-il eu exactement? Les chiffres varient selon les historiens, car à certaines époques il y eut des contestations: certains disent 260, d'autres 265. De plus, les règnes des premiers papes sont difficiles à établir avec exactitude.

L'histoire de l'Église a retenu les comportements très divers des papes. Certains sont de grands saints: Grégoire, Léon le Grand, Sylvestre, Célestin, Pie X, etc. D'autres apparaissent aux yeux de l'histoire plus controversés: l'un ou l'autre était guerrier; certains, ambitieux politiquement; quelques-uns de conduite morale douteuse; d'autres attachés à l'argent; d'autres enfin susceptibles. Plusieurs ont donc occasionnellement été à la source de ruptures douloureuses dans l'Église: Orthodoxes, Protestants, Anglicans...

Malgré ces faiblesses, les papes ont toujours représenté dans la tradition de l'Église une sorte de point focal: l'évêque parmi les évêques, «le premier parmi ses pairs».

Le pape n'est pas au-dessus de l'Église, il n'exerce pas un pouvoir de domination, mais un service d'unité, qui favorise la communion entre tous les chrétiens de la terre. C'est un modèle, un guide, un appui pour la foi. Il se dénomme d'ailleurs volontiers «le serviteur des serviteurs de Dieu».

Il veille donc à l'unité entre les différentes Églises locales et nationales. Mais il ne le fait pas seul: tous les évêques du monde l'assistent dans sa tâche; il agit en communion avec le collège des évêques dont il est le chef. Les relations ont d'ailleurs évolué entre le pape et les évêques: au siècle dernier, le pape se sentant menacé a affirmé son autorité, amenant ainsi une plus forte centralisation de l'Église catholique. Jean XXIII, en décidant la tenue d'un concile œcuménique, souhaitait rajeunir l'Église, lui enlever ses rides: il en est résulté une affirmation plus grande de la collégialité des évêques et du pape... et une redécouverte plus évidente que l'Église, c'est finalement le peuple de Dieu, c'est-à-dire tous et chacun des croyants que nous sommes.

De par son rôle de promoteur de l'unité dans l'Église, le pape veille aussi sur l'intégrité de la foi, c'est-à-dire qu'il soutient les croyants pour qu'ils demeurent fidèles à la foi authentique reçue des Apôtres. Comme l'Église est répandue dans le monde entier, il est confronté au défi de garder une certaine unité, en même temps que de respecter la diversité des traditions et des expressions chrétiennes telles qu'elles se manifestent à travers les cultures et les peuples des différents continents.

Le pape joue aussi dans le monde un rôle considérable de leader moral et spirituel. Ses positions en faveur de la justice, de la paix, des droits humains, se révèlent être d'un grand poids. S'il est tellement écouté des grands de ce monde, c'est — comme le disait Paul VI à l'O.N.U. — que la foi l'habilite à être «un expert en humanité».

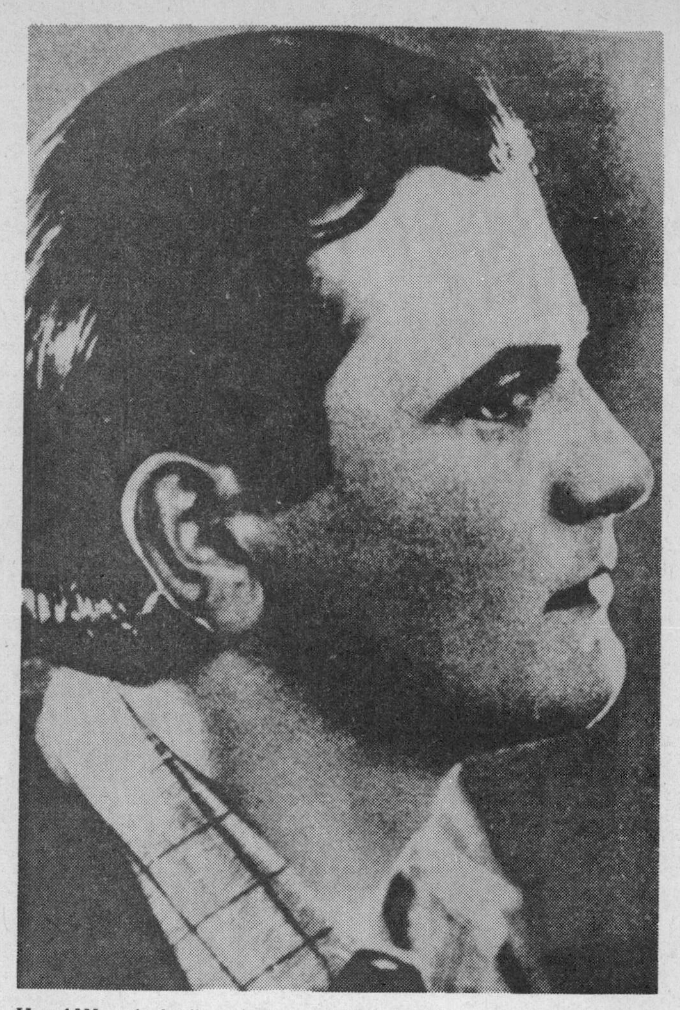

Karol Wojtyla fut l'un des cinq membres d'une troupe de théâtre clandestine, sous l'occupation nazie.

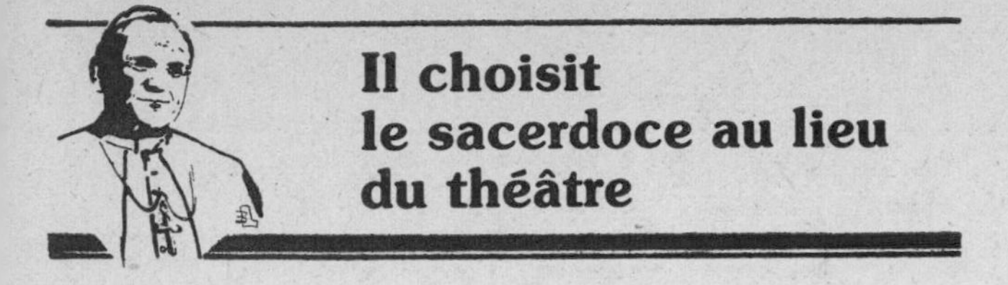

Il choisit le sacerdoce au lieu du théâtre

Karol Wojtyla touche la vingtaine; il lutte intérieurement. Sa vie est fort complexe. En plus du théâtre, il fait aussi partie d'un groupe de piété appelé «le Rosaire vivant». Il s'agit d'une sorte d'école de spiritualité animée par un laïc original et fervent, Jan Tyranowski, qui plonge ses disciples dans les œuvres mystiques de Jean de la Croix et de Thérèse d'Avila. Sous la gouverne de Tyranowski, Karol dirige bientôt un groupe de jeunes gens qui se réunissent malgré l'Occupation pour approfondir leur foi, le sens de leur vie et leur engagement.

Soudain, en 1941, il est frappé en plein cœur: à son retour à la maison, il trouve son père inanimé, mort. Il reste complètement atterré près de lui durant plusieurs heures; il retournera prier fréquemment sur la tombe de ses parents, dans le cimetière de Cracovie. Le seul soutien familial qui lui reste alors: sa marraine Maria Wjadrowska.

À la même période, il est victime de deux accidents mineurs qui auraient pu lui être fatals: heurté par un camion allemand sur la route, il se retrouve à l'hôpital avec une fracture du crâne; il échappe aussi de justesse à l'écrasement par un camion de travail: il en gardera une légère courbature et une épaule plus haute.

Karol semble avoir été très sensible aussi aux persécutions et injustices dont sont accablés les Juifs à l'usine Solvay.

Il jouait le rôle du «sagittaire» dans la pièce «Le chevalier de la lune» (une photo ancienne a été reproduite dans la bande dessinée, éditions Aredit).

En 1942, il prend sa décision: il veut se faire prêtre. Il s'en ouvre à l'archevêque de Cracovie, qui l'invite à se joindre à un groupe d'étudiants clandestins ès sciences ecclésiastiques. Pour ne pas être dénoncés, la plupart de ceux-ci travaillent dans des paroisses rurales éloignées et se rencontrent pour échanger avec les professeurs; Karol, lui, continue son travail de manœuvre à l'usine Solvay, tout en étudiant la théologie dans ses moments libres et sans abandonner complètement le groupe du théâtre Rhapsodique.

Il rend service en hébergeant des fuyards, en fournissant des papiers à des Juifs poursuivis. Bientôt son nom apparaît sur la liste des personnes recherchées par les Nazis parce qu'elles font partie de la Résistance.

Les Allemands sentent cependant venir la défaite depuis que les Russes attaquent à l'Est vers la Pologne. Le 1er août 1944, c'est l'insurrection de Varsovie contre les Allemands. Ceux-ci ripostent avec vigueur. Le 7 août 1944, ils envahissent chaque rue de Cracovie et arrêtent tous les hommes qu'ils peuvent rencontrer, pour les envoyer à des camps de concentration. Ils ceinturent le quartier de Debniki, où réside Karol. Par bonheur, ils négligent de visiter son logement.

L'archevêque décide alors de rapatrier tous ses étudiants clandestins en sciences religieuses dans son archevêché, dont Karol. Ceux-ci se voient imposer à la hâte des soutanes qui ne leur conviennent pas mais les protègent des rafles. Karol ne rentre plus à l'ouvrage chez Solvay: les Allemands s'en inquiètent et le recherchent; un Polonais finit par «écarter» son dossier et on n'en entend plus parler.

Le 16 décembre 1944, c'est le départ précipité des Allemands, sous les bombes russes. Quelques semaines plus tard Karol pourra suivre enfin des cours réguliers de théologie, sa dernière année et demie.

Il sera ordonné prêtre le 1er novembre 1946, assez rapidement. Car l'archevêque a décidé, devant ses résultats très brillants, de lui faire continuer ses études jusqu'au doctorat, à Rome.

Le pape parle des...

des droits humains

L'Église n'a pas cessé et ne cessera jamais de proclamer les droits humains fondamentaux: droit de s'établir librement dans son propre pays, d'avoir un pays, d'émigrer à l'intérieur ou à l'extérieur de son pays pour des raisons légitimes, d'être capable de jouir pleinement de la vie de famille, de préserver et de développer son propre patrimoine ethnique, culturel et linguistique, de professer publiquement sa propre religion, d'être reconnu et traité en accord avec la dignité de sa propre personne en quelque circonstance que ce soit.

(Rio de Janeiro. Brésil. juin 1980)

Mots croisés

HORIZONTAL

1. Ville de Pologne où on bâtit une église en dépit des autorités (1re partie) • Autobus
2. Se rendra • Ville d'origine de Jean-Paul II
3. Orient • Avant-midi • 4e roi d'Israël
4. Nom de l'Université de Cracovie où étudia le pape
5. Fin de mot • Conjonction
6. Nom du cardinal-primat de Pologne (Varsovie) décédé récemment • Théologie (abrév.)
7. Infinitif • Article espagnol • Rend un culte
8. Collier qui sert d'entrave • Pratique de méditation
9. Roman de Chateaubriand
10. Écrivain français né à Rochefort • Prénom du pape actuel
11. Première femme • À toi
12. Sépara, mit à part • Masse de pierre
13. Anticipée
14. Ville de Pologne où mourut le frère de Karol Wojtyla • À moi
15. Ville d'U.R.S.S. • Combustion
16. Propre • Résidence du pape
17. Lui • Lié, attaché • Lui
18. Souverain • Interjection • Régal de chien • Sud-ouest
19. Nom de l'assaillant du pape • Coutumes • Touché
20. Tremblements de terre • Véhicule de transport du pape

VERTICAL

1. Première paroisse où Karol Wojtyla fut vicaire • Donneras ta bénédiction
2. Richesses • Nom du tailleur qui fit découvrir Jean de la Croix à Karol Wojtyla • Louange
3. Unité de mesure de puissance • Se trouve • En ce lieu
4. Un des quatre grands prophètes • Carte à jouer
5. Nom de famille du pape actuel • Capitale de la Pologne
6. Cela • Un des sports préférés du pape • Débâcle financière
7. Proverbes, maximes • Met un observateur au poste • Coutumes
8. Ville Éternelle • Un sport pratiqué sur les rivières par le

JEU-PARTICIPATION

pape • Abrév. de kilogrammes
9. Qui adorent à l'excès • Démonstratif
10. Métis manitobain pendu en 1885 • Poète russe • Note de la gamme • Voyelles jumelles
11. Enferma dans un cloître • Rapprochement entre les Églises chrétiennes
12. Nom de pape de Karol Wojtyla (1re partie) • Interjection • Ligue Nationale • Pluie • Animal sauvage qui hurle

(Remplir également le «Mot caché», au verso.)

Mot caché

R	T	N	A	I	F	I	T	N	O	P	U
E	N	U	C	U	A	E	C	I	R	E	E
F	E	N	C	O	R	E	R	U	V	R	J
O	M	C	Z	N	O	E	E	A	A	E	E
R	E	O	E	I	G	G	L	P	U	E	T
M	N	E	S	U	A	C	C	N	A	L	B
E	E	U	T	Y	N	T	E	L	E	P	E
D	V	R	O	O	S	S	Y	O	G	I	N
I	E	V	C	H	A	T	I	B	A	S	E
V	I	E	H	R	J	C	I	L	M	C	D
I	L	N	O	O	O	E	T	D	O	I	I
S	I	E	W	R	A	I	E	E	H	N	C
E	E	D	A	Y	O	N	X	P	C	E	T
T	I	T	D	I	S	A	L	O	N	H	I
A	V	I	O	N	E	Z	N	T	E	L	O
B	I	R	W	I	V	C	Y	M	A	O	N
I	S	E	I	A	I	H	E	N	E	R	A
L	I	U	C	L	C	A	A	R	S	A	I
E	T	R	E	A	E	L	O	L	E	K	T
C	E	L	E	B	R	O	N	S	S	E	I

Acte	Écho	Race
Anal	Encore	Réforme
Arène	Épelé	Salon
Aucune	Éveil	Sévice
Avion	Événement	Silo
Balai	Halo	Ski
Beau	Inoui	Tari
Bénédiction	Jasna Gora	Terne
Blanc	Jeep	Thème
Cause	Jet	Tireur
Célébrons	Jeu	Vertu
Célibat	Jeunes	Vieil
Chat	Karol	Visite
Chômage	Lob	Voyageur
Clerc	Lolek	Wadowice
Cœur	Méat	Wojtyla
Concile	Noce	Wyszynski
Conclave	Noé	
Croix	Noyade	
Czaniec	Pape	
Czestochowa	Père	
Dépôt	Piscine	
Divisé	Pontifiant	

Le MOT CACHÉ, de 10 lettres, qualifie le programme des déplacements du pape durant son voyage au Canada:

Réponse: _ _ _ _ _ _ _ _ _ _ .

Prochain jeu-participation, p. 61
Les détails sur le jeu se trouvent en page 147.

Karol Wojtyla au début de son ministère. Il n'abandonna jamais le sport, hiver comme été.

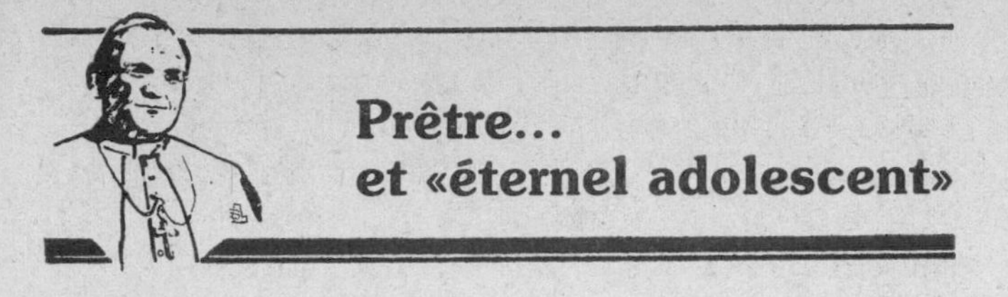

Prêtre... et «éternel adolescent»

Le voilà à Rome, à l'automne 1946. Il restera deux ans à l'Angelicum, université dirigée par les Dominicains. Il y étudiera surtout la philosophie et la théologie morale. Saint Jean de la Croix — qu'il connaît depuis longtemps — fournira le sujet de sa thèse de doctorat.

Faute de place au collège polonais, il demeure au collège belge: cela lui fournira l'occasion d'élargir ses contacts, d'apprendre le français, de rencontrer les premiers initiateurs de la J.O.C. Il profitera d'ailleurs de ses vacances d'été pour visiter la France et la Belgique et y observer les méthodes pastorales.

Tout ce temps, il continue occasionnellement d'écrire des poésies, dont plusieurs ont été publiées sous un pseudonyme dans un important périodique polonais.

Il revient en Pologne avec son doctorat ecclésiastique en 1948 et il est assigné au ministère paroissial dans une des paroisses les plus éloignées du diocèse de Cracovie (à la stupéfaction de certains): à Niegowic.

Il y restera un an à peine, mais il aura vite conquis le cœur des habitants. Surtout des jeunes.

L'année suivante le retrouve vicaire dans une des plus importantes paroisses de Cracovie, Saint-Florian, où il restera deux ans. Il se liera d'amitié avec beaucoup de jeunes, garçons et filles, et commencera à se faire appeler «mon oncle», «Wujek» en polonais.

En 1953, l'archevêque lui demandera de prendre son doctorat d'État, de façon à pouvoir enseigner officiellement à la faculté de théologie de l'Université Jagellon: il continue donc ses études de 1953 à 1955, non sans s'occuper de plus en plus activement — surtout dans ses temps de loisirs et de vacances — des jeunes universitaires.

Avec eux, il part en vacances souvent pour plusieurs jours, faire du ski ou de l'ascension, l'hiver; du canoë ou de la descente de rivières, l'été. La vacance n'est jamais gratuite cependant: «mon oncle» prévoit toujours un long arrêt pour une sorte de «retraite», où l'on prie, l'on discute du sens à donner à sa vie... «Mon oncle» vit dans le groupe en toute simplicité, ses contacts sont francs et directs; on le surnomme «l'éternel adolescent». C'est avec eux aussi qu'il gratte un peu la guitare... ou qu'il s'enferme souvent au cinéma.

Comme d'habitude, Karol Wojtyla décroche son doctorat d'État avec les plus hautes distinctions et il est assigné à l'enseignement à Cracovie. Mais ça tombe mal: on est au cœur des persécutions de Staline, qui s'intensifient jusqu'en 1953; au moins huit évêques et plus de 900 prêtres sont emprisonnés. Il ne peut enseigner longtemps la morale au Séminaire, celui-ci est fermé par les autorités civiles. Il se voit alors invité à donner des cours à l'Université catholique de Lublin, la seule tolérée. Bientôt on lui offrira la chaire d'enseignement moral, malgré son jeune âge.

Sans laisser tomber les étudiants universitaires de Cracovie, qu'il continue de fréquenter assidûment, il enseignera pendant plusieurs années à Lublin, 200 kilomètres plus loin. Ses recherches en philosophie l'amèneront à écrire de nombreux ar-

ticles et quelques livres, dont un sur la morale sexuelle, «Morale et responsabilité». Ses auteurs préférés en philosophie, après Thomas d'Aquin, sont Martin Buber, Gabriel Marcel et surtout Max Scheller, sur lequel il fera d'importantes recherches pour réconcilier sa philosophie à la morale chrétienne.

La foi des jeunes s'enracine dans le passé et s'ouvre aux projets de l'avenir.

Le Pape parle de...

l'engagement radical

Mes chers amis, mon expérience de professeur d'université m'a appris que vous aimez les synthèses concrètes. Le programme-synthèse de ce que je vous ai dit est très simple: il tient dans un NON et un OUI.
Non à l'égoïsme;
Non à l'injustice;
Non au plaisir sans règles morales;
Non au désespoir;
Non à la haine et à la violence;
Non aux chemins sans Dieu;
Non à l'irresponsabilité et la médiocrité;
Oui à Dieu, à Jésus-Christ et à l'Église;
Oui à la foi et à l'engagement qu'elle implique;
Oui au respect de la dignité,
de la liberté et des droits des personnes;
Oui à l'effort pour élever l'homme
et le mener à Dieu;
Oui à la justice, à l'amour, à la paix;
Oui à la solidarité avec tous,
surtout avec les plus pauvres;
Oui à l'espérance;
Oui à votre devoir
de construire une société meilleure.

(Allocution aux jeunes de Costa Rica, mars 1983.)

Le pape est-il riche?

Au cours des âges, l'Église a accumulé des richesses, spécialement à partir des dons de ses fidèles. L'Ordre des Templiers, quelques monastères, certains évêchés, sont ainsi devenus des entités très riches qui quelquefois étalaient facilement leurs biens: pour la plus grande gloire de Dieu... mais aussi pour impressionner la galerie!

Saint-Pierre de Rome est l'un de ces monuments qui furent construits grâce aux dons reçus du monde entier, entre autres à travers le système des indulgences. L'État du Vatican présente un dehors grandiose et impressionne toujours de loin; son apparence incite les gens à parler de la richesse du Vatican.

Mais qu'en est-il exactement? Le Vatican est-il vraiment riche?

Parlons d'abord des papes contemporains. Si Pie XII avait sans doute quelques biens de famille (il venait de la noblesse italienne), Jean XXIII par contre ne possédait rien du tout et avait même fait promesse secrète de vivre la pauvreté totale. On peut facilement juger de Paul VI si on se rappelle la petite tombe de bois dénudée dans laquelle il reposait lors de son décès: une vraie leçon de pauvreté même pour nous avec nos salons funéraires... Jean-Paul I fut vite compris comme un homme sans apprêts. Quand à Jean-Paul II, le pape actuel, il était renommé en Pologne pour son extrême simplicité de vie, tant dans ses habits que dans son logement.

La question de la richesse du Vatican ne se pose pas en ce qui concerne les papes eux-mêmes, mais plutôt à cause de l'apparence de richesse de l'ensemble du Vatican. Essayons d'y voir clair.

L'État du Vatican possède certains biens immeubles: le territoire autour de Saint-Pierre, avec les édifices somptueux qui s'y trouvent, la résidence d'été de Castel Gandolfo, Saint-Jean de Latran (la cathédrale du diocèse de Rome), Sainte-Marie-Majeure, Saint-Paul hors les murs et quelques autres «palais» éparpillés dans la ville de Rome où sont concentrés les différents services du Vatican.

Dans ses murs, le Vatican possède probablement l'un des plus beaux musées du monde: avec des spécimens venant de la plus haute antiquité, des premiers siècles chrétiens, des peintures de la Renaissance (par exemple, la Chapelle Sixtine peinte par Michel-Ange), de merveilleuses sculptures, etc. La bibliothèque du Vatican est également très renommée pour ses anciens manuscrits. Enfin, le Vatican possède des archives ouvertes et secrètes impressionnantes. Malheureusement, du point de vue financier, tous ces biens apparaissent plutôt comme un poids: il faut les entretenir, ils ne sont monnayables d'aucune façon.

Le Vatican possède-t-il de l'argent liquide, ou des placements?

Oui. Le 11 février 1929 étaient signés les accords du Latran, qui mettaient fin à la fameuse *question romaine*, c'est-à-dire cette bataille entre l'Église et l'État italien après que ce dernier eut envahi par la force les États pontificaux en 1870 (le Vatican possédait auparavant près du tiers du territoire italien). Dans ce protocole, l'État italien s'engageait à dédommager le Vatican en lui donnant «750 millions de lires

Saint-Pierre de Rome, c'est un symbole: lieu de ralliement et de pèlerinage pour les catholiques, source de malaise pour les protestants, apparence luxueuse pour les plus pauvres, œuvre d'art de la Renaissance.

et des titres à 5% d'une valeur nominale de 1 milliard» (Paul POUPARD, *Le Vatican*, p. 49). Combien vaut aujourd'hui ce capital productif? Une note dans l'*Osservatore Romano* (en 1970) laissait entendre qu'il était maintenant inférieur à 500 millions de francs suisses, soit moins de 125 millions de dollars canadiens de l'époque.

Le Vatican connaît aussi d'autres rentrées de fonds: dons, legs, Denier de saint Pierre (une quête par année dans toutes les églises du monde), honoraires contre services rendus, etc.

L'Institut pour les œuvres de religion (c'est le nom de la banque du Vatican) fut victime à deux reprises de mauvais placements durant les derniers dix ans: en 1974, il perdit un montant estimé à quelques 75 millions de dollars canadiens à cause de l'écroulement de la New York's Franklin National Bank. Tout récemment, en 1982, il fut impliqué dans l'effondrement d'une importante banque italienne, dont le directeur fut trouvé pendu à Londres; le Vatican y perdit plus de 40 millions.

On sait depuis 1979 que le Vatican connaît une impasse financière importante. En plus des nombreux dons que le pape consent aux victimes de catastrophes naturelles sur tous les continents s'ajoutent les charges de payer les 3,500 permanents qui travaillent dans les bureaux du Vatican; il doit soutenir les représentations diplomatiques à l'étranger, ainsi que les jeunes Églises missionnaires. Le concile Vatican II a coûté fort cher; de même maintenant les réunions d'experts et d'évêques qui doivent se déplacer des quatre coins du monde. On dit que les deux conclaves de 1978 (pour choisir le pape) auraient coûté 6 millions de dollars chacun. De telle sorte que les déficits s'accumulent depuis quelques années: près de 15 millions de dollars canadiens en 1979; 25 millions en 1981; 30 millions en 1982; 40 millions en 1983.

En mars 1982, le pape Jean-Paul II réunissait d'urgence une quinzaine de cardinaux de tous les continents pour trouver des solutions à la situation avant qu'elle ne se détériore trop. Ces cardinaux se sont de nouveau réunis au printemps de 1984.

Le vrai problème de la supposée «richesse du Vatican», c'est que jusqu'à ce jour on n'a jamais vu, exposés au grand jour, les chiffres précis des revenus et dépenses, des actifs et passifs. L'ombre crée plus de mythes que la lumière... La somptuosité des lieux n'aide pas non plus.

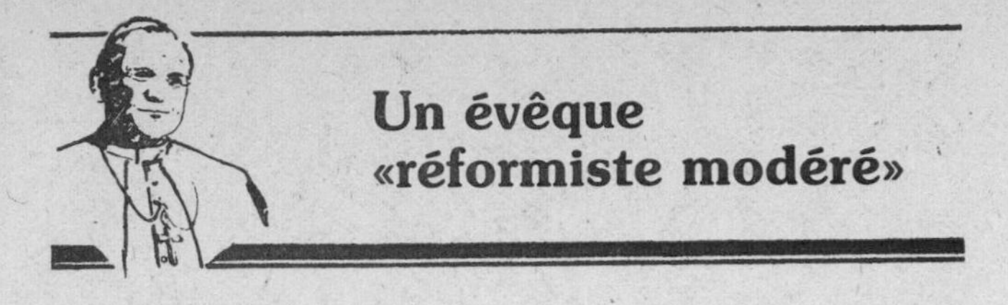

Un évêque «réformiste modéré»

Le 4 juillet 1958, le primat de Pologne, le cardinal Wyszynski, recherche désespérément Karol Wojtyla pour lui annoncer qu'il vient d'être nommé évêque par Pie XII. Il est en vacances. On finit par le répérer; avec un groupe de jeunes, il est en train de descendre la Vistule en kayak. Vite il rentre à Varsovie pour apprendre sa nomination et l'accepter... et il s'empresse de retourner vers ses jeunes pour continuer l'excursion.

À 38 ans, il devient ainsi le plus jeune évêque polonais: auxiliaire à Cracovie.

Sa vie ne change pas pour autant: elle demeure toujours aussi simple, dépouillée. Il se veut près des gens, et particulièrement des étudiants. Il accepte avec peine de déménager dans le palais de l'archevêché. Il tombe soudain malade: une sorte d'anémie. Le médecin le condamne à faire de l'exercice physique en plein air, du sport! Une motivation médicale à continuer!

En 1964, il est nommé archevêque de Cracovie. Une nomination stupéfiante pour d'aucuns, qui n'en reviennent pas de voir un homme d'à peine 44 ans occuper le deuxième poste en importance dans la hiérarchie polonaise; il est promis à coup sûr au cardinalat.

Entre temps le concile Vatican II bat son plein. Karol Wojtyla y est très actif et y fait quelques interventions remarquées, notamment sur la liberté religieuse et l'importance de l'Église comme peuple de

L'évêque Wojtyla au temps du concile Vatican II, il y a une vingtaine d'années.

Dieu. Il est qualifié par les observateurs de «réformiste modéré». Le pape Paul VI l'a remarqué et lui fait confiance. Il deviendra l'une des chevilles ouvrières des deux plus importants documents adoptés par le concile: *Lumen Gentium* (la constitution dogmatique sur l'Église) et *Gaudium et Spes* (l'Église dans le monde de ce temps).

Chez lui, il est apprécié très vite comme l'archevêque de la porte ouverte: tous les jours, il reçoit quiconque veut le rencontrer, de 11 heures à 13 heures, et même en tout temps. Les domestiques se plaignent de l'achalandage... Il prend ses repas avec ses collaborateurs, planifiant le travail ou discutant ferme. À sa table également surabondent les visiteurs étrangers qu'il a connus au concile ou rencontrés dans ses voyages.

Fortement convaincu de la pertinence des orientations du Concile, il lance dans son diocèse un grand synode destiné à faire progresser les idées-clés de Vatican II. L'événement s'étalera sur des années et mettra l'emphase sur la co-responsabilité des laïcs dans leur Église. Il en naîtra de nombreux conseils de pastorale paroissiaux.

Karol Wojtyla s'avère aussi un évêque pastoral. Il ne cesse de sillonner son diocèse en voiture. Durant ses déplacements, il lit, étudie des documents, prépare des textes: il ne perd pas de temps. Sa présence est toujours chaleureuse auprès des diverses communautés chrétiennes qu'il rencontre; on peut lui parler, dialoguer avec lui; il fait montre d'une grande capacité d'accueil.

En 1967, il reçoit la pourpre cardinalice. Le voilà le numéro deux de l'Eglise polonaise, dans l'ombre du cardinal Wyszynski, l'illustre primat de Varsovie. Même si leurs idées ne correspondent pas toujours, il respectera toujours son chef de file et lui rendra un vibrant hommage une fois devenu pape.

À Rome aussi sa valeur est remarquée. Il sera invité à faire partie de nombreux groupes de travail concernant: le clergé, la liturgie, l'éducation, les Églises de l'Est et le secrétariat du synode. Les voyages à Rome se succéderont donc de plus en plus rapidement.

L'atmosphère des relations entre l'Église polonaise et l'État demeure toutefois tendue. Le gouvernement attaque moins directement, mais il ne cesse de mettre des bâtons dans les roues. Témoin le cas de Nowa Huta. Cette importante «ville neuve», en banlieue de Cracovie, est construite par le gouvernement marxiste pour devenir le symbole d'un monde nouveau, communiste. Les acieries, les résidences et les services sont prévues dans l'architecture, mais aucune place pour l'église: pas de religion. Les catholiques protestent, se réunissent dehors ou dans des abris de fortune pour célébrer le dimanche. Le gouvernement annonce un beau jour qu'il va bâtir une école sur leur terrain de rassemblement au lieu d'une église. C'est la révolte ouverte; le parti doit faire marche arrière! Qu'à cela ne tienne, il mettra des bois dans les roues: retard pour accorder les permis, non-disponibilité des matériaux, etc. L'Église s'impatiente et lance un appel public: de tout le pays les chrétiens apporteront des pierres — plus de 2 millions —, réalité matérielle symbolisant l'édifice spirituel des hommes et femmes. Le premier coup de pioche est donné le 14 octobre 1967 par le cardinal Wojtyla; l'église sera terminée dix ans plus tard, grâce au travail patient de centaines et de centaines de bénévoles. Le jour de son inauguration, le 15 mai 1977, le cardinal dira: «Une église, ce n'est pas seulement un édifice; c'est fait de pierres vivantes. Nowa Huta a été bâtie comme une cité sans Dieu. Mais la volonté de Dieu et de ceux qui ont travaillé ici a prévalu. Que cela constitue une leçon.»

Toutes ces activités stressantes, Karol Wojtyla réussit à y faire contrepoids grâce à l'exercice physique. De l'escalade, de la marche, de la descente de rivière en été; du ski en hiver. Les plus mauvais temps le retrouvent sur les pentes les plus abruptes; ses collaborateurs ou amis ont peine à le suivre. Un jour il s'égare quelque peu... et se fait arrêter par une patrouille à la frontière de la Tchécoslovaquie; on lui réclame ses papiers. Le garde-frontière croit qu'il les a volés au cardinal — «un cardinal, ça ne fait pas de ski» —, veut lui en faire voir de belles... mais doit finalement s'excuser devant l'évidence.

Quelques jours seulement avant les fameux conclaves de 1978, il aura la joie de faire encore une excursion en compagnie d'un groupe de jeunes.

Le Pape parle de...

l'enfant

Je désire exprimer la joie que constituent pour chacun d'entre nous les enfants, printemps de la vie, anticipation de l'histoire à venir de chacune des patries terrestres.

Aucun pays du monde, aucun système politique ne peut songer à son propre avenir autrement qu'à travers l'image de ces nouvelles générations qui, à la suite de leurs parents, assumeront le patrimoine multiforme des valeurs, des devoirs, des aspirations de la nation à laquelle elles appartiennent, en même temps que le patrimoine de toute la famille humaine.

(Discours aux Nations Unies. 2 octobre 1979.)

JEU-PARTICIPATION

Vous questionnez le pape

Si vous aviez la chance de poser au pape trois questions qui vous tiennent à cœur, que lui demanderiez-vous?

question 1) ______________________

question 2) ______________________

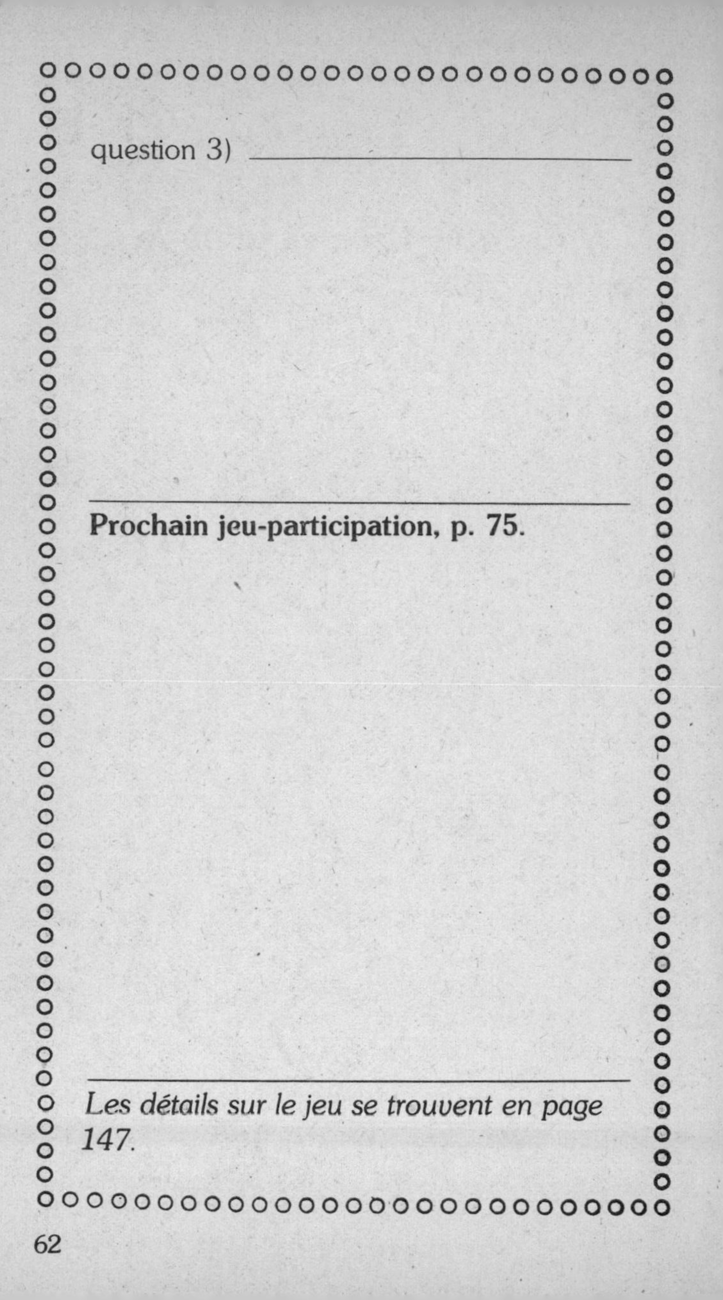

question 3) ______________________________

____

Prochain jeu-participation, p. 75.

____

Les détails sur le jeu se trouvent en page 147.

Le Vatican, c'est quoi au juste?

Le Vatican, c'est d'abord un lieu de pèlerinage, sur le tombeau du premier pape, saint Pierre, l'évêque de l'antique Église de Rome.

Le Vatican, c'est le lieu de résidence habituel du successeur de Pierre, le pape actuel.

Le Vatican, c'est aussi l'État du Vatican. Minuscule (44 hectares, ou 108 acres, ou 129 arpents carrés) mais réel, avec son territoire, ses quelques édifices (une vingtaine), ses lois, ses timbres-postes, etc. Même réel, il prend plutôt figure symbolique aux yeux du monde entier. Sa diplomatie est cependant fort active (86 représentations à l'étranger).

Le Vatican, c'est enfin le gouvernement central de l'Église, avec ses «ministères» et sa «fonction publique» qui se dénomment la Curie romaine. L'Église est organisée un peu comme un gouvernement; le pape Jean-Paul II, comme responsable du Vatican, est donc chargé de superviser le travail de tous ses collaborateurs immédiats.

1) La Curie possède d'abord des «ministères», nommés «congrégations».

- *la Secrétairerie d'État:* qui traite toutes les questions d'affaires publiques, de relations extérieures, les problèmes délicats, etc.; c'est la cheville ouvrière auprès du pape, une sorte de «cabinet ministériel»;
- *la Congrégation pour la doctrine de la foi:* compétente pour toutes les questions qui regardent la foi et la morale;

Légendes de la section couleur.

L'élection de Karol Wojtyla à la papauté:

1. La fumée blanche sortant de la cheminée de la Chapelle Sixtine annonce l'élection d'un nouveau pape;
2. Karol Wojtyla — Jean-Paul II — apparaît pour la première fois à la foule;
3. Il a vite conquis les cœurs; il connaîtra un succès instantané dans les moyens de communication;
4. Une image s'impose quand on pense au pape actuel: un homme de prière.

Un pape qui se fait proche:

5 et 6. Voyageur accueillant envers tous;

7. Toute sa vie il est attentif aux jeunes;
8. Avec les travailleurs;
9. Avec le curé de sa paroisse natale.

Légendes de la section couleur.

L'attentat contre le pape

10. Jean-Paul II vient d'être touché par les balles tirées par le tueur à gages Agca;

11 et 12. À l'hôpital il réussit à récupérer assez vite, grâce à sa forte constitution;

13. Il voyage depuis, dans sa «papamobile», une jeep blindée;

14. L'attentat n'a pas été sans poser des questions: qui avait intérêt à le voir disparaître? pourquoi?...

Jean-Paul II présent à tous:

15 et 16. Près des familles;

17. En voyage à travers le monde;

18 et 19. En relation avec les personnalités politiques: ici le leader palestinien Arafat et Elizabeth II, reine du Royaume Uni;

20 et 21. Célébrant la foi dans la joie et la fête.

- *la Congrégation pour les Églises orientales:* supervise tous les diocèses de rite oriental rattachés au Saint-Siège, soit environ 11 millions des 112 millions de chrétiens orientaux;
- *la Congrégation pour les évêques:* veille sur tout ce qui concerne les évêques (3,700) et les diocèses (2,372) du monde entier: nominations, délimitations, gestion, etc. (97 conférences épiscopales); deux commissions pontificales spéciales lui sont rattachées: *la Commission pour l'Amérique latine* et *la Commission pour la pastorale des migrations et du tourisme;*
- *la Congrégation pour les sacrements et le culte divin:* s'occupe de la liturgie, de la prière d'Église, des causes d'annulations de mariage, d'ordination sacerdotale, etc.
- *la Congrégation pour la cause des saints:* est chargée d'instruire les procès de béatification et de canonisation;
- *la Congrégation pour le clergé:* s'occupe de la vie et du ministère des 259,965 prêtres séculiers dans le monde, de leur travail de pastorale et catéchèse, et de leur bien-être matériel;
- *la Congrégation pour les religieux et les instituts séculiers:* a juridiction sur tous les religieux et religieuses de rite latin: 161,894 prêtres, 76,361 religieux non prêtres et 986,786 religieuses dans le monde;
- *la Congrégation pour l'éducation de la foi:* touche le domaine de la formation dans les grands séminaires, les universités et autres écoles de tous les niveaux;
- *la Congrégation pour l'évangélisation des peuples:* se consacre à favoriser la diffusion de la

foi dans les pays non chrétiens et à promouvoir la coopération missionnaire entre les Églises.

2) Existent également un certain nombre de secrétariats spécialisés, de conseils, de comités, de commissions:

- *le Secrétariat pour l'unité des chrétiens:* œcuménisme;
- *le Secrétariat pour les non-chrétiens:* croyants d'autres religions;
- *le Secrétariat pour les non-croyants:* athéisme;
- *le Conseil pontifical pour les laïcs:* rôle des laïcs dans l'Église;
- *la Commission pontificale «Justice et paix»:* pour le développement, la paix et les droits de l'homme; deux organismes y sont adjoints: *Sodepax* (en lien avec le conseil œcuménique des Églises) et *Cor Unum* (pour l'entraide et le développement);
- *la Commission pour les moyens de communications sociales:* préoccupée par l'imprimé, la radio, la télévision, le cinéma;
- *le* (tout récent) *Conseil pontifical pour la culture:* constitué par Jean-Paul II pour aider l'Église à mieux comprendre les façons de penser et de sentir des hommes et femmes de notre temps.

3) On a aussi recours au gouvernement central de l'Église, par des tribunaux ecclésiastiques:

- *le Tribunal suprême de la signature apostolique:* sorte de Cour de cassation et de Conseil d'état:
- *la Rote romaine:* tribunal d'appel sur des causes matrimoniales et autres déjà jugées;

- *la Pénitencerie apostolique* qui juge de problèmes relevant de la conscience personnelle, du for interne, et qui s'occupe aussi de la question des indulgences.

Enfin, comme dans toute organisation de quelque importance, on retrouve des offices qui s'occupent du déroulement quotidien des événements: rendez-vous, audiences, finances, surveillance, statistiques, archives, bibliothèques, musée, Radio-Vatican, journal «Osservatore Romano», service postal, gestion, etc.

Combien d'employés travaillent habituellement au Vatican? 3,350 personnes et plus. Il faut ajouter à ce nombre plus d'un millier de retraités. Ce qui signifie que les listes montent à près de 5,000 payes à chaque mois.

En tant que pape, Jean-Paul II assume la direction et l'orientation de l'Église catholique. On le voit ici en réunion avec les cardinaux, lors du Consistoire de 1979.

Le pape parle du...

poids d'être pape

La papauté est une très haute dignité, mais c'est aussi une très lourde croix (...). Le nouveau pape a pris sur ses épaules la croix de l'homme moderne. La croix de la famille humaine contemporaine. La croix de toutes ces tensions et de tous ces dangers. Le danger inimaginable d'une nouvelle guerre qui nous reste toujours présent à l'esprit. Il a également pris sur ses épaules la croix de toutes ces tensions, de tous ces dangers nés de multiples injustices, violations des droits de l'homme, asservissement des peuples, nouvelles formes de colonialisme, les souffrances innombrables des hommes et des nations que seule la Croix du Christ peut réussir à vaincre. Car elles ne peuvent être vaincues que par la justice et l'amour.

(Homélie prononcée à Mogila, en septembre 1978, peu après l'élection de Jean-Paul I.)

Comment élit-on le pape?

Depuis le Moyen âge, la coutume se perpétue: le pape est élu par les cardinaux. Qui sont les cardinaux? Il s'agit de prélats, évêques en charge de diocèses et autres postes importants, un peu partout à travers le monde; le pape en fait ses collaborateurs immédiats. Une fois réuni, le groupe est littéralement «mis sous clé» (de là le nom de «conclave») aussi longtemps qu'il n'a pas désigné un successeur au pape précédent qui vient de décéder.

Le 15 octobre 1978, 111 cardinaux se sont ainsi réunis au Vatican pour désigner le remplaçant de Jean-Paul I, qui venait de mourir prématurément. Tous les cardinaux âgés de moins de 80 ans se sont présentés en procession dans la Chapelle Sixtine (si richement peinte par Michel-Ange) et on a verrouillé les portes, pour couper tout contact extérieur. Cette tradition fut instaurée pour éviter que des pressions de l'extérieur n'interviennent pendant la votation (à une certaine époque, des rois et des princes voulaient imposer leur candidat).

Le seul lien qui subsistera sera la fumée qui s'échappera de la petite cheminée de la chapelle Sixtine quand on brûlera les bulletins de votes après chaque votation: si la fumée est noire, c'est que le vote n'aboutit à rien; si elle est blanche, c'est qu'un nouveau pape vient d'être élu: il a obtenu au moins les deux tiers des votes plus un, et il a accepté.

La majesté de la Chapelle Sixtine (peinte par Michel-Ange) sert de lieu de délibération au conclave. Ici, Karol Wojtyla vient tout juste d'y être élu pape.

C'est à la fin de la deuxième journée de conclave, le 16 octobre 1978, un peu après 18 heures, que la fumée blanche s'est élevée dans le ciel de Rome. Immédiatement des dizaines de milliers de gens avertis par la radio se sont précipités vers la place Saint-Pierre pour connaître le nouvel élu.

Quand Jean-Paul II s'est présenté au balcon de la basilique Saint-Pierre et a adressé la parole aux personnes présentes, l'ovation fut monstre. Le pape a terminé sa première apparition en public en donnant sa bénédiction «Urbi et orbi», c'est-à-dire à la ville de Rome et à tout l'univers.

Karol Wojtyla: l'homme

Sportif, acteur, poète, universitaire, pasteur, administrateur ecclésiastique, Karol Wojtyla est une personnalité très riche, difficile à cataloguer.

Ce qui frappe les foules, c'est sa grande force morale, qui transparaît dans ses gestes et ses discours. C'est un homme optimiste, qui transmet ses croyances à son auditoire avec une conviction remarquable. Transparaissent en lui plusieurs facettes simultanées: confiance en soi, ouverture au dialogue, franchise et spontanéité dans les relations interpersonnelles...

«C'est un être de grande culture, un homme d'une profonde science philosophique et théologique, qui connaît le monde contemporain, ses courants artistiques comme ses idéologies. C'est un observateur pénétrant de la mentalité contemporaine, de la difficulté et des problèmes des hommes de notre temps» (Vergy Turowicz, cité dans «Jean-Paul II; SIPA-PRESS, p. 4). Il irradie une foi profonde, la joie de vivre, dira de lui le Dr Coggan, archevêque anglican de Canterbury.

Il pourrait peut-être correspondre à ce que lui-même imaginait comme prototype d'une «personne réussie»: «Le témoignage de la *personne* humainement réussie et mûre, qui sait se mettre en relation avec autrui sans parti pris, sans imprudences ingénues, mais dans un esprit de cordiale ouverture et d'équilibre serein» (Maria Winowska, *Jean-Paul II tout à tous*, p. 76).

Karol Wojtyla sait faire preuve d'un esprit d'accueil qui lui gagne les cœurs; à Cracovie, tous se sentaient bien reçus chez lui: les pauvres, les jeunes, et même les adversaires idéologiques.

Intelligent, réfléchi, esprit pénétrant, il aime analyser tous les aspects d'une question, peser le pour et le contre. Sa très forte concentration lui permet de synthétiser, de tirer les conclusions qui s'imposent.

Sa grande capacité d'apprendre les langues étrangères peut lui être comptée comme un atout précieux dans son travail pastoral à travers le monde. Il parle facilement, en plus du polonais, le russe, l'allemand, le français, l'anglais, l'espagnol, l'italien, un peu de néerlandais, de portugais, etc.

Au physique, il frappe par sa carrure, sa solidité. Le sport l'a assurément aidé à se tenir en forme. Ses yeux parlent beaucoup: vifs, attentifs, ils surveillent tout et en même temps ils rayonnent la bonté. Il aime beaucoup, pour favoriser sa concentration, ramener ses deux mains sur sa figure... «À travers ses doigts dont il se couvre le visage filtre un regard amusé vers ceux qui l'entourent et l'observent» (Ibid., p. 36).

Karol Wojtyla éprouve depuis son jeune âge le besoin impératif de prier, de prier constamment. Il n'a pas perdu cette habitude malgré le manque de temps que lui impose sa charge.

Somme toute, l'une des grandes forces de ce pape, c'est qu'il n'a pas peur de rester lui-même dans sa haute fonction. Cette spontanéité lui vaut l'estime de tous ceux qui le rencontrent et le rend très populaire auprès des médias de communication.

JEU-PARTICIPATION 4

Vous parlez au pape

En admettant que vous ayez la chance de rencontrer personnellement le pape durant un bon 5 minutes lors de sa visite au pays, qu'est-ce que vous lui diriez qui vous apparaît le plus important? Qu'est-ce que vous voudriez qu'il sache coûte que coûte?

Message au pape n° 1: ______________

Message au pape n° 2: ______________

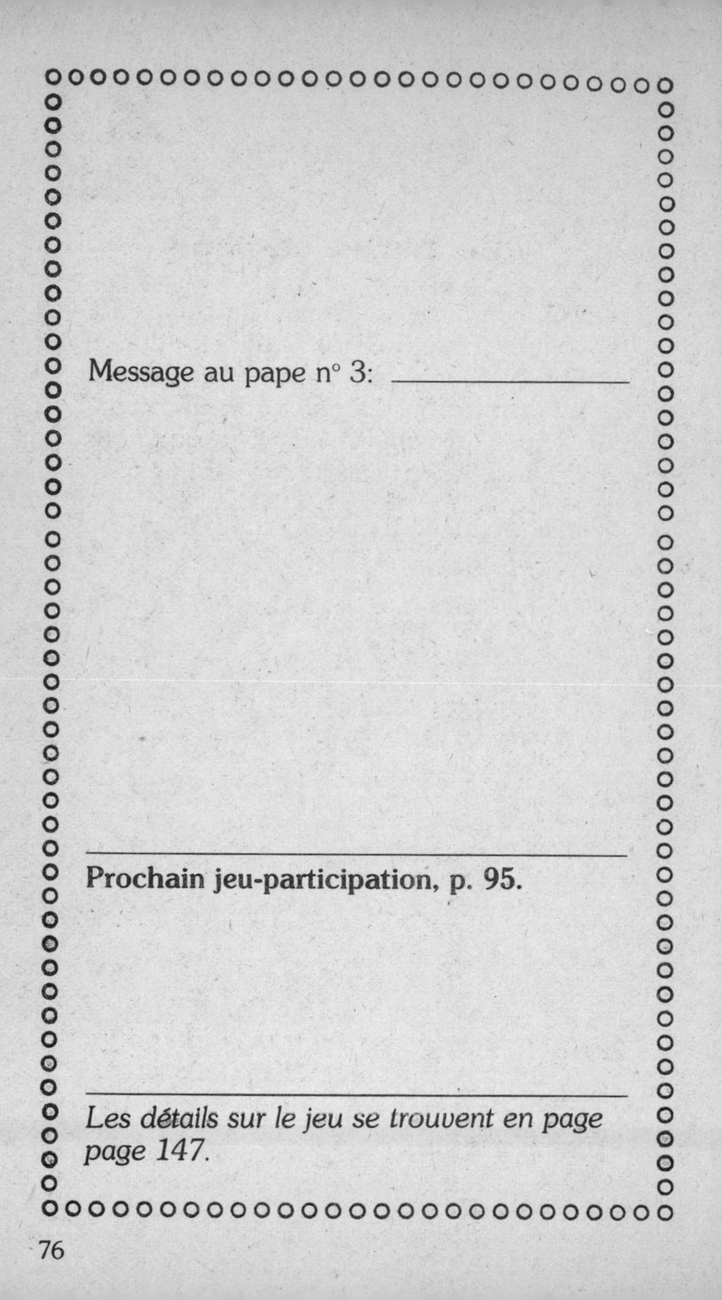

Message au pape n° 3: ________________

Prochain jeu-participation, p. 95.

Les détails sur le jeu se trouvent en page page 147.

1

Légendes de la section couleur.

L'élection de Karol Wojtyla à la papauté:

1. La fumée blanche sortant de la cheminée de la Chapelle Sixtine annonce l'élection d'un nouveau pape;
2. Karol Wojtyla — Jean-Paul II — apparaît pour la première fois à la foule;
3. Il a vite conquis les cœurs; il connaîtra un succès instantané dans les moyens de communication;
4. Une image s'impose quand on pense au pape actuel: un homme de prière.

Un pape qui se fait proche:

5 et 6. Voyageur accueillant envers tous;
7. Toute sa vie il est attentif aux jeunes;
8. Avec les travailleurs;
9. Avec le curé de sa paroisse natale.

5
6

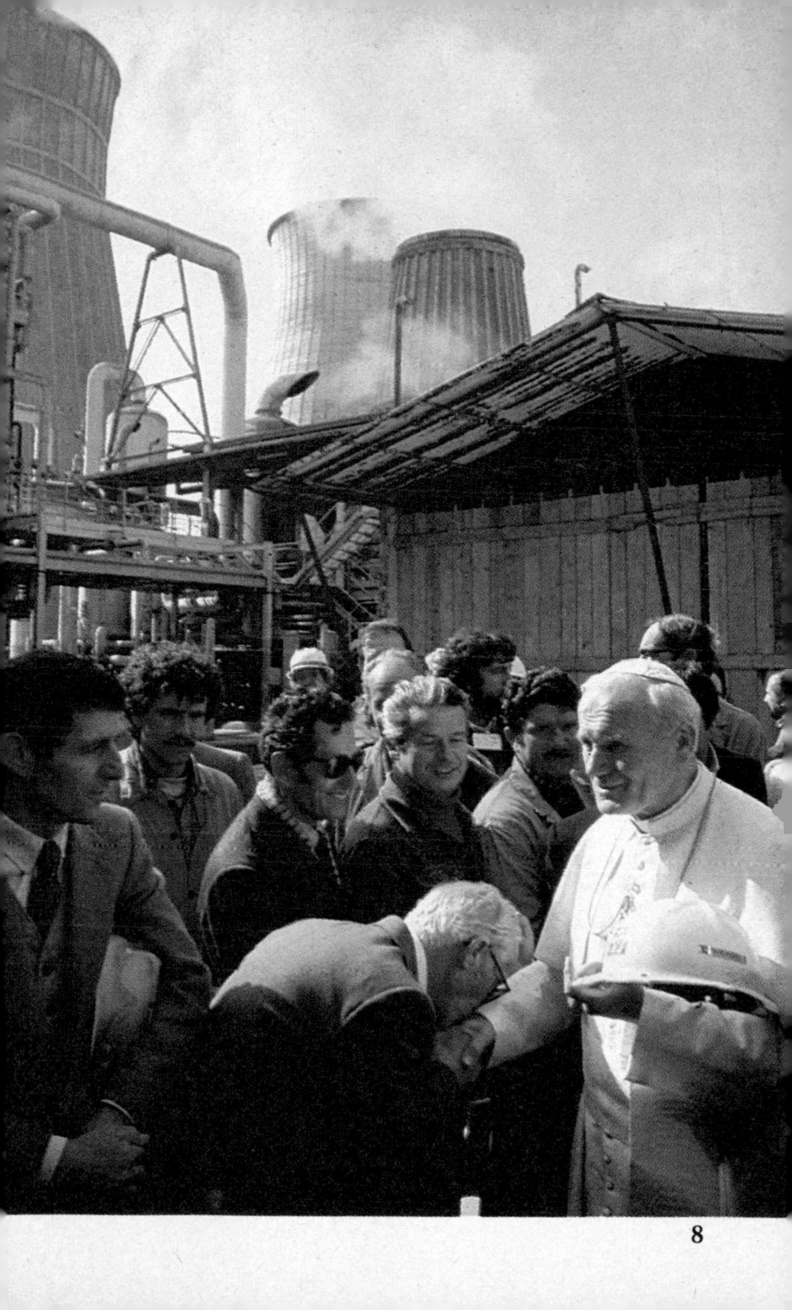

8

9

10

Légendes de la section couleur.

L'attentat contre le pape

10. Jean-Paul II vient d'être touché par les balles tirées par le tueur à gages Agca;

11 et 12. À l'hôpital il réussit à récupérer assez vite, grâce à sa forte constitution;

13. Il voyage depuis, dans sa «papamobile», une jeep blindée;

14. L'attentat n'a pas été sans poser des questions: qui avait intérêt à le voir disparaître? pourquoi?...

Jean-Paul II présent à tous:

15 et 16. Près des familles;

17. En voyage à travers le monde;

18 et 19. En relation avec les personnalités politiques: ici le leader palestinien Arafat et Elizabeth II, reine du Royaume Uni;

20 et 21. Célébrant la foi dans la joie et la fête.

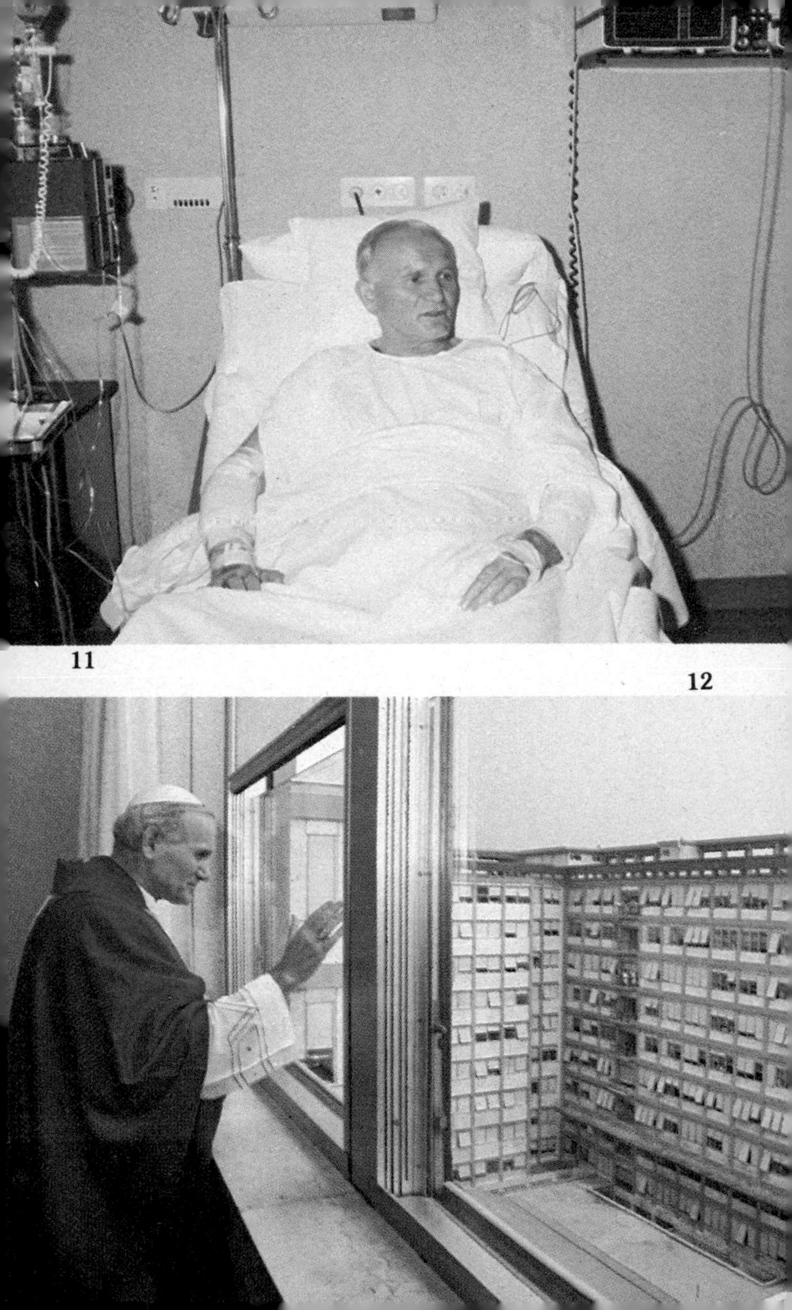

11

12

14

15
16

17

18

19

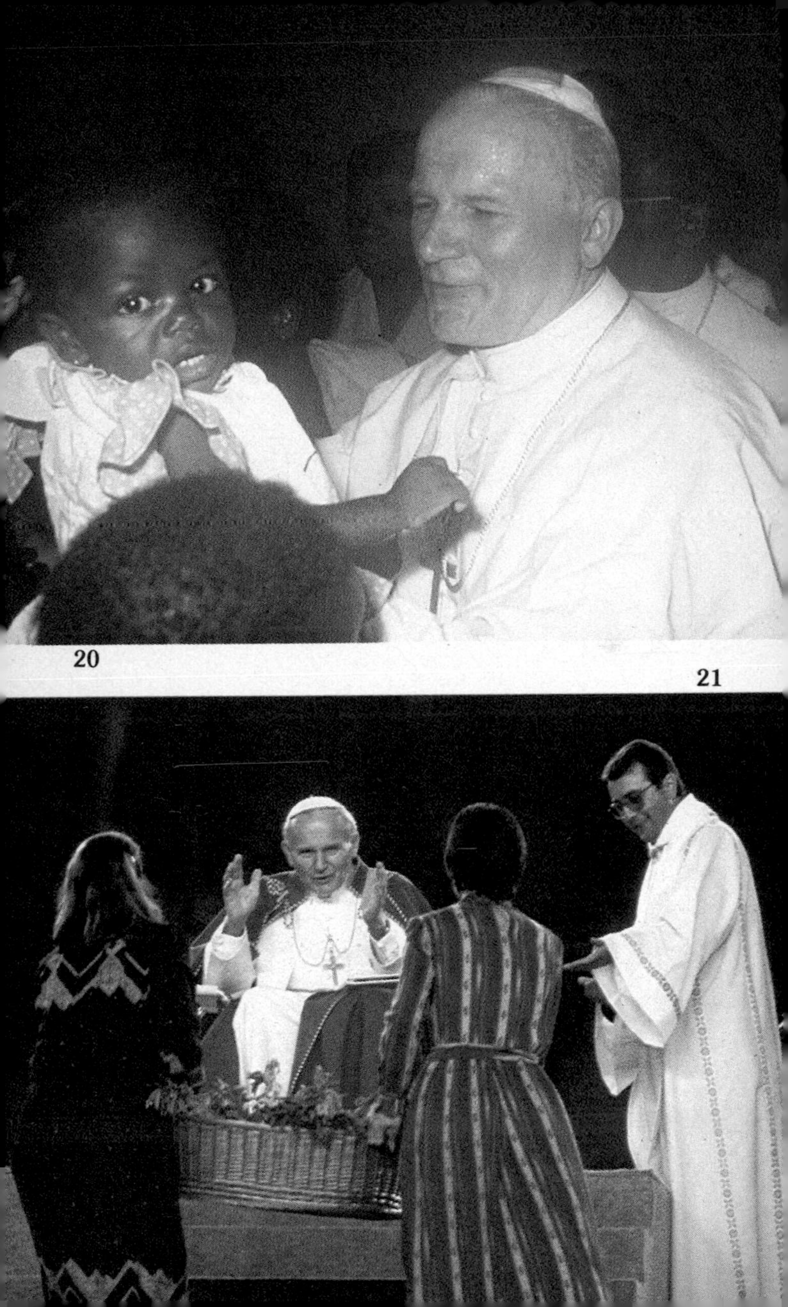

20

21

Solution des mots-croisés

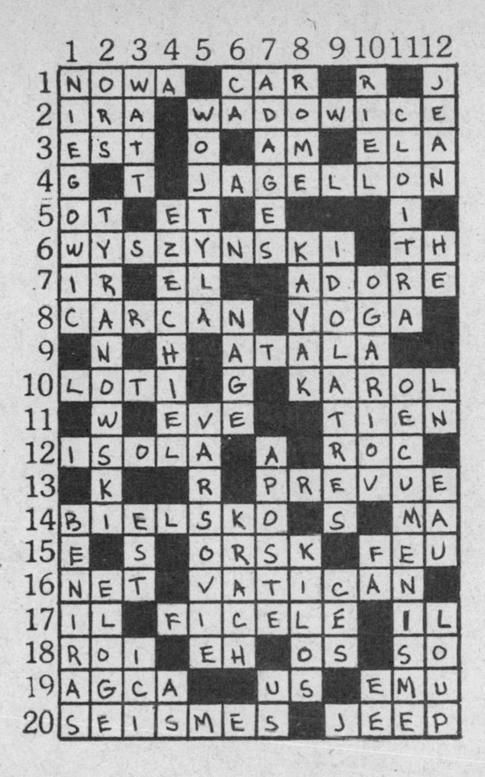

	1	2	3	4	5	6	7	8	9	10	11	12
1	N	O	W	A	■	C	A	R	■	R	■	J
2	I	R	A	■	W	A	D	O	W	I	C	E
3	E	S	T	■	O	■	A	M	■	E	L	A
4	G	■	T	■	J	A	G	E	L	L	O	N
5	O	T	■	E	T	■	E	■	■	■	I	■
6	W	Y	S	Z	Y	N	S	K	I	■	T	H
7	I	R	■	E	L	■	■	A	D	O	R	E
8	C	A	R	C	A	N	■	Y	O	G	A	■
9	■	N	■	H	■	A	T	A	L	A	■	■
10	L	O	T	I	■	G	■	K	A	R	O	L
11	■	W	■	E	V	E	■	■	T	I	E	N
12	I	S	O	L	A	■	A	■	R	O	C	■
13	■	K	■	■	R	■	P	R	E	V	U	E
14	B	I	E	L	S	K	O	■	S	■	M	A
15	E	■	S	■	O	R	S	K	■	F	E	U
16	N	E	T	■	V	A	T	I	C	A	N	■
17	I	L	■	F	I	C	E	L	É	■	I	L
18	R	O	I	■	E	H	■	O	S	■	S	O
19	A	G	C	A	■	■	U	S	■	E	M	U
20	S	E	I	S	M	E	S	■	J	E	E	P

Solution du mot caché

ITINÉRAIRE

Le pape parle de la...
prière

La prière est une conversation avec Dieu. En conversant avec quelqu'un nous parlons mais aussi nous écoutons. La prière est donc aussi une écoute. Elle consiste à se mettre à l'écoute d'un appel qui vient du Christ. Le pape prie comme chaque chrétien. Il parle et il écoute. Il cherche à faire le lien entre son travail et sa prière. Parfois il prie sans paroles et le plus important est précisément ce qu'il entend. Jour après jour, il cherche à accomplir le service que le Christ lui a confié.

(Allocution à des jeunes, États-Unis, octobre 1979.)

Un pape préoccupé de la valeur de la personne humaine et de la qualité de sa relation avec Dieu.

Un homme convaincu, et qui cherche à convaincre.

Karol Wojtyla: les idées-forces

L'expérience du temps de la Résistance en Pologne durant la guerre 1939-45 a certainement laissé des traces chez Jean-Paul II.

C'est ainsi que le pape a toujours dénoncé tout recours à la violence, même pour transformer des situations jugées injustes. C'est sans doute cela aussi qui a fondé l'insistance qu'il met sans cesse sur les droits humains.

Selon lui, les droits humains se fondent sur deux principes fondamentaux qui sont: la liberté et la dignité de chaque personne.

Parce qu'il accorde son support à cette approche humaniste, il manifeste son appui et sa sympathie pour les exploités, les pauvres, ceux qui vivent dans la misère, sous les dictatures, ceux qui (comme lui) connaissent de nombreux décès dans leur famille.

Du point de vue religieux, le pape montre ses convictions avec la certitude du roc. Il affirme. Il réconforte: «N'ayez pas peur!» Il s'est prononcé sans équivoque pour les orientations du concile Vatican II: la collégialité, l'œcuménisme, l'importance du rôle des laïcs comme peuple de Dieu, la présence de l'Église au monde.

«Leitmotiv de son pontificat: approfondissement et renouveau, fidélité et ouverture, enracinement dans la tradition authentique pour l'accueil des «signes du temps» qui nous engagent dans les voies hardies de l'avenir. Bref, dans toute l'originalité de ses tensions créatrices, l'esprit de *Vatican II*» (Maria Winowska, *Jean-Paul II tout à tous*, pp. 96-97).

Au niveau de la morale sexuelle, il a renouvelé les mêmes prescriptions que Paul VI: opposition à l'emploi de tout moyen contraceptif artificiel.

En ce qui concerne la discipline de l'Église, il n'est pas d'accord pour accepter que les prêtres se marient, ou que des femmes puissent accéder au sacerdoce. Pour quelles raisons, tous ces refus? Il les justifie par la fidélité à la tradition et les exigences de choix moraux responsables.

Jean-Paul II ne ferme pas pour autant la porte au dialogue avec le monde contemporain. Mais il refuse le conformisme ou l'indifférence doctrinale.

À cause des circonstances que nous connaissons, il n'échappe pas tout à fait à des contradictions: il parlera volontiers de la prise en charge de l'Église par le peuple de Dieu... mais c'est lui qui mène sans l'ombre d'un doute. Il réaffirmera sans cesse les options d'ouverture de Vatican II, tout en conservant volontiers certaines attitudes traditionnelles: attirance pour l'habit clérical, réticences vis-à-vis d'une implication plus forte des femmes dans l'Église, etc. Il fustigera les clercs qui tâteront du pied le monde de la politique, mais il y sera lui-même plongé jusqu'au cou par rapport à la Pologne...

Ce qui caractérise fondamentalement l'attitude du pape Jean-Paul II, c'est qu'il se veut pasteur. Pourquoi voyage-t-il constamment à travers le monde? En plus d'exercer un leadership dans la défense des idéaux moraux de justice et de paix, il entend garder le contact avec les cultures contemporaines. Et par ses visites pastorales, il souhaite donner à beaucoup l'occasion de renforcer leur foi. De là son respect de la tradition, comme dépôt de la foi dans toutes les Églises du monde.

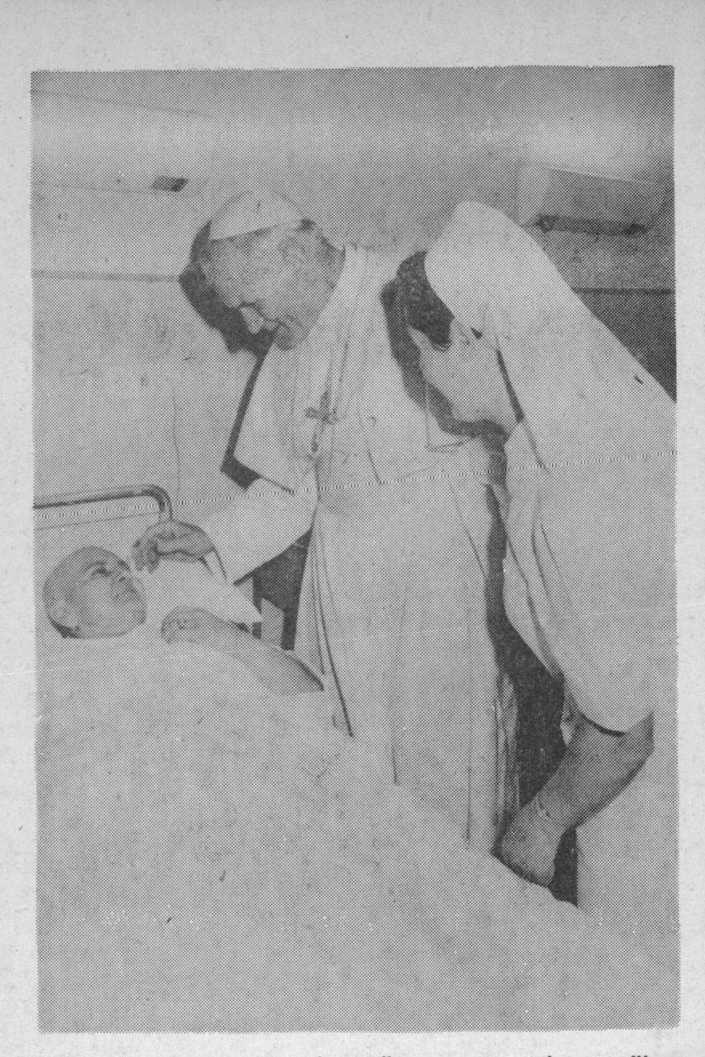

La croix donne son sens à la souffrance, au travail, à tout l'humain...

Le pape parle de...
la croix

La croix illumine notre vie non seulement dans les moments d'extrême tension, mais en permanence. Elle proclame la valeur du travail de l'homme, aux épaules voûtées par l'effort.

La croix nous dit qu'en travaillant l'homme n'est pas, ne peut pas être un simple outil mais doit demeurer une personne. L'homme n'est pas pour le travail: c'est le travail qui est au service de l'homme...

L'homme ne travaille pas seulement pour produire, mais pour épanouir sa dignité d'homme.

Le travail illuminé par le mystère de la croix *éclaire et justifie le travail de l'homme. C'est ainsi qu'il crée et modèle la culture, la technique, l'industrie* de demain.

Nous ne voulons pas que l'homme cède aux pressions des structures matérielles.

Nous ne voulons pas que l'homme succombe au matérialisme de la vie contemporaine.

Nous voulons savoir évaluer, dans toutes ses dimensions, la grandeur de notre dignité humaine.

Pour y arriver, point d'autre moyen que le mystère de la croix.

L'arbre étend ses bras, le mystère de la croix se déploie...

La vie meurt sur la croix, afin que de sa mort la vie jaillisse.

La croix est une leçon d'amour: *ne tombera point celui qui la déchiffre.*

Non, il ne tombera pas! Et même s'il tombe, il se relèvera, coûte que coûte, puisque dans la croix réside une force à soulever l'homme, coûte que coûte...

Plus que jamais, à l'heure qu'il est, la croix mérite des droits privilégiés, *puisque maintenant, précisément, l'homme doit être redressé* coûte que coûte...

(Extraits du «Cantique de la croix», publié sous le pseudonyme de Andrzej Jawien, dans la revue Znak. Cité dans Maria Winowska, Jean-Paul II tout à tous.)

Tout ce que dit le pape est-il toujours vrai?

Le premier concile du Vatican approuvait le 18 juillet 1870 un texte qui proclamait l'infaillibilité pontificale: le pape ne peut errer dans ses déclarations...

À quoi bon alors convoquer d'autres conciles subséquents si le pape peut éventuellement tout décider de lui-même? Pourtant, Jean XXIII a convoqué le concile Vatican II moins de 100 ans plus tard.

Un spécialiste des questions d'autorité dans l'Église s'est mis un jour à compter les différentes sortes d'interventions du Saint-Siège: il en a dénombré 16 ou 17, de niveaux différents, émanant d'autorités diverses: du simple papier signé par un petit fonctionnaire... jusqu'à la déclaration la plus solennelle: «ex cathedra», du haut de la chaire de saint Pierre, la seule infaillible, et que le pape n'utilise qu'après de longues recherches et des consultations auprès de tous les évêques du monde!

Quand on sait que, depuis 1870, un seul pape a eu recours à cette intervention archi-solennelle (Pie XII, qui définit le dogme de l'Assomption de Marie en 1950), on perçoit vite que le recours à l'infaillibilité pontificale n'est pas un fait quotidien.

Il faut bien saisir que le rôle de guide du pape s'exerce soit de façon extraordinaire, dans des occasions rares; soit de façon beaucoup plus quotidienne: c'est ce qu'on appelle le «magistère ordinaire». En vue de sauvegarder l'authenticité de la foi et l'unité dans l'Église, le pape peut intervenir en ce qui regarde la foi et les mœurs pour donner des orienta-

Qu'en pensez-vous?

tions fermes ou suggérer des comportements.

Tout ce que dit le pape n'est donc pas de même importance. Mais le croyant comprendra volontiers que le Souverain pontife est bien placé, de par ses contacts et ses spécialistes, pour donner un point de vue dont on ne peut éviter de tenir compte. Bien sûr, le Vatican a toujours été perçu comme plutôt conservateur dans ses mots d'ordre: par peur de trahir la foi des origines. Mais les chrétiens l'ont souvent aidé à ajuster les exigences de l'évangile aux aléas de l'histoire et aux défis des nouvelles situations. D'ailleurs — et Paul VI le disait clairement — souvent le pape, par ses interventions, désire non pas arrêter les gens de penser mais aider les chrétiens à pousser plus loin leurs questionnements, à la lumière des principes fondamentaux de la foi.

Grand voyageur devant l'éternel

Le pape Jean-Paul II a déjà parcouru le monde à de nombreuses reprises. Comme le pasteur visite sans cesse ses ouailles, ainsi le pape aime se déplacer, aller encourager sur place les différentes Églises locales et leur accorder son soutien.

Avant son pontificat, le pape était déjà venu en Amérique du Nord à deux reprises, au Canada et aux États-Unis. En 1969, il avait notamment rendu visite à la diaspora polonaise à Québec, Montréal, Ottawa, Toronto, Hamilton, St. Catherines, London, Winnipeg, Calgary et Edmonton.

En 1976, c'est surtout pour participer au congrès eucharistique de Philadelphie qu'il s'est déplacé. Il avait auparavant, en 1970 et plus tard en 1973, également pris part à des congrès eucharistiques en Australie. Au cours de ces voyages, il eut la chance de visiter la Nouvelle-Zélande, les Philippines, la Nouvelle-Guinée.

Sitôt nommé pape, il part les jours suivants pour quelques sanctuaires historiques italiens. Il ne se sent pas attaché au Vatican, il n'entend pas se laisser imposer un carcan par les fonctionnaires de la Curie: *«Ils ont dit à mon prédécesseur ce qu'il devait faire, et quand; et c'est peut-être ce qui l'a conduit à une mort prématurée. Ils ne me diront pas quoi faire ni quand. Je déciderai. Ils ne me tueront pas»*, lancera-t-il le sourire en coin à un ami polonais (*Jean-Paul II, pape de l'an 2000*, p. 91).

Bientôt il portera son bâton de pèlerin à travers le monde. 1979 sera caractérisé par cinq grands voyages: Saint-Domingue et le Mexique (à l'occasion de la grande rencontre de tous les évêques d'Amérique latine à Puebla); la Pologne, sa patrie; l'Irlande; les États-Unis, avec un arrêt spécial à l'O.N.U.; et finalement la Turquie, où il va rencontrer le patriarche Dimitrios 1er.

L'année suivante, on le retrouve en Afrique; Zaïre, République populaire du Congo, Kenya, Haute-Volta, Ghana, Côte d'Ivoire. Puis au Brésil, où il vit une longue tournée triomphale. Après un bref séjour en France, il visite l'Allemagne de l'Ouest.

En 1981, il se rend en Extrême-Orient, plus précisément au Japon, où il fait grande impression dans ce pays où les catholiques demeurent fortement minoritaires. Il a fait escale au Pakistan et s'est arrêté quelques jours aux Philippines. Il prévoit se rendre en Suisse au Bureau international du travail, quand tout à coup il est victime du tragique attentat du 13 mai. Sa convalescence l'empêchera de voyager durant de longs mois.

Il reprendra sa course à travers le monde au début de 1982: Afrique: Nigéria, Bénin, Gabon, Guinée équatoriale; Portugal, notamment à Fatima; Grande-Bretagne et Argentine (alors en guerre); Espagne. Et de nombreux déplacements en Italie, par exemple en Sicile.

1983 le verra accomplir son voyage le plus périlleux et le plus discuté, en Amérique centrale: Costa-Rica, Guatémala, Nicaragua, Panama, El Salvador, Honduras, Bélize et Haïti. Il retourne pour une seconde fois en Pologne, alors que la tension y est très forte. Puis il visite la France (à Lourdes), l'Autriche.

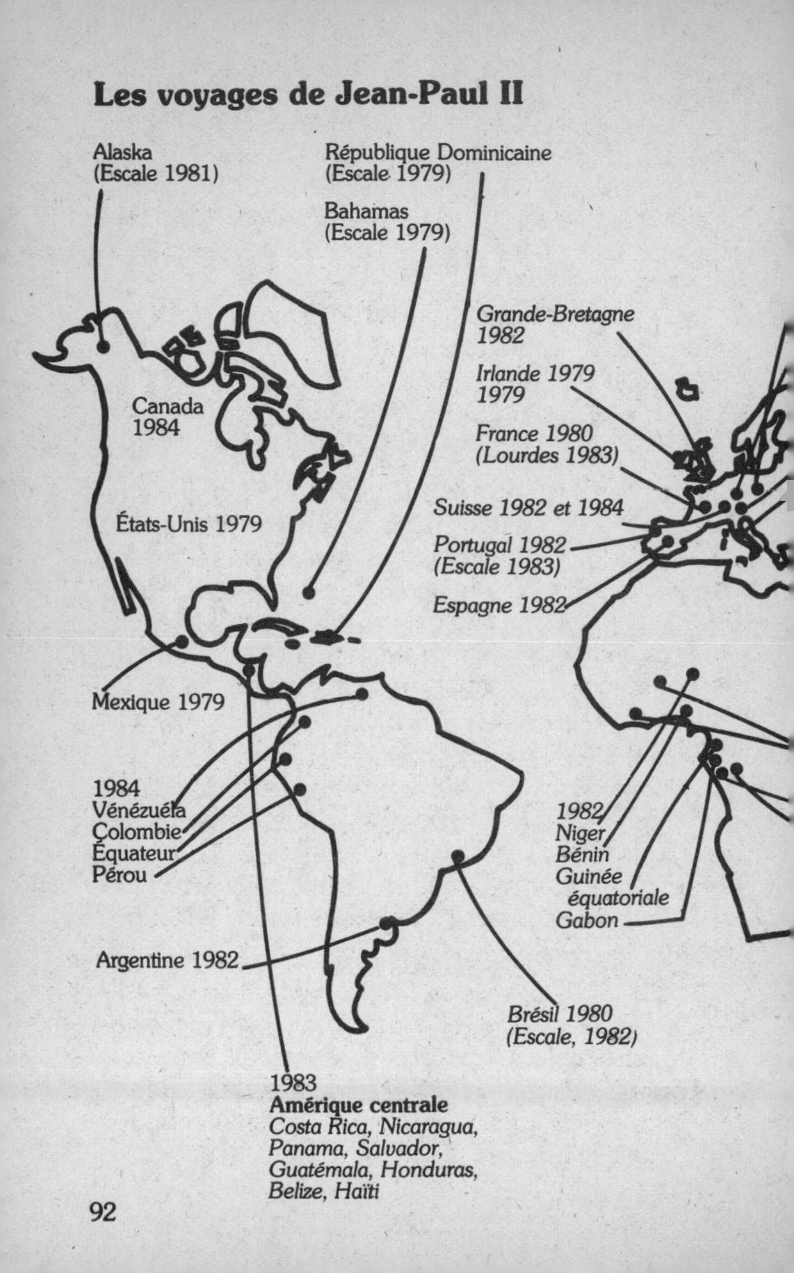
Les voyages de Jean-Paul II
Alaska
(Escale 1981)
République Dominicaine
(Escale 1979)
Bahamas
(Escale 1979)
Grande-Bretagne
1982
Irlande 1979
1979
France 1980
(Lourdes 1983)
Canada
1984
États-Unis 1979
Suisse 1982 et 1984
Portugal 1982
(Escale 1983)
Espagne 1982
Mexique 1979
1984
Vénézuéla
Colombie
Équateur
Pérou
1982
Niger
Bénin
Guinée
équatoriale
Gabon
Argentine 1982
Brésil 1980
(Escale, 1982)
1983
Amérique centrale
Costa Rica, Nicaragua,
Panama, Salvador,
Guatémala, Honduras,
Belize, Haïti

Pologne
1979 et 1983
Allemagne de l'ouest 1980
Autriche 1983
San Marino 1982
(Nombreux voyages
en Italie)
Turquie 1979
Pakistan
(Escale 1981)
Japon
1981
1984
Corée du Sud
Thaïlande
Vietnam
Philippines 1981
Guam
(Escale 1981)
1980
Côte d'Ivoire
Haute Volta
Congo,
Zaïre
Kénya

Avant le Canada, en septembre 1984. des voyages sont déjà prévus en Extrême-Orient (Corée du Sud, Thaïlande, Viet-Nam), en Suisse et en Amérique du Sud (Vénézuéla, Pérou, Colombie et Équateur).

JEU-PARTICIPATION

Vous aidez le pape à parler

Si vous aviez à aider le pape à préparer les discours qu'il doit prononcer ici lors de sa visite, que lui feriez-vous dire? Qu'aimeriez-vous entendre de sa bouche lors de son passage parmi nous? Quels messages souhaiteriez-vous qu'il nous laisse?

— premier message important:

— deuxième message important:

— troisième message important:

Prochain jeu-participation, p. 109.

Les détails sur le jeu se trouvent en page 147.

Le pape parle de la...
violence

Un jeune chrétien cesse d'être jeune, et certainement n'est plus un chrétien, quand il se laisse séduire par des doctrines ou idéologies qui prêchent la violence ou la haine.

(Belo Orizonte, ville minière du Brésil, juin 1980.)

Tous les mercredis, le pape donne une audience publique sur la place Saint-Pierre, se déplaçant dans sa jeep blanche.

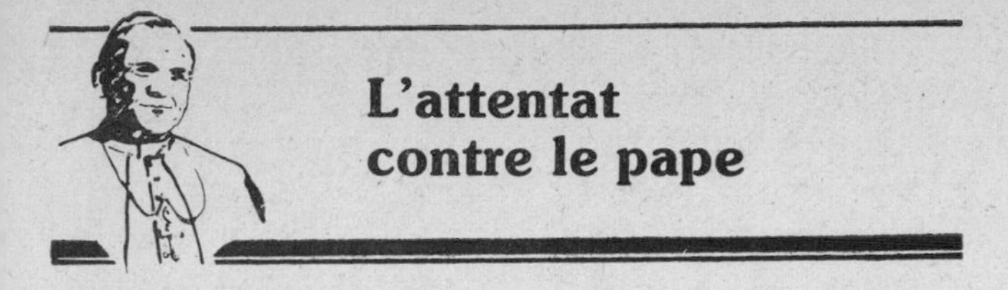

L'attentat contre le pape

Le 13 mai 1981, vers les 17 heures de l'après-midi, à Rome, le pape, debout sur sa jeep blanche, parcourt la place Saint-Pierre pour saluer les nombreux pèlerins présents. À 17 h 19 précises, des coups de feu retentissent: le pape vient d'être la victime d'un tueur à gage; il s'écroule dans les bras de son secrétaire. Rapidement on le transporte en ambulance à l'hôpital Gemelli où des spécialistes pratiquent une difficile opération, qui s'avère être un succès: grâce à sa forte constitution, Jean-Paul II parvient à passer au travers de l'épreuve. Quelques semaines plus tard, il pourra retourner au Vatican pour sa convalescence... jusqu'à ce qu'une rechute provoquée par l'infection l'oblige à un retour bref à l'hôpital.

Au moment de l'attentat on appréhende sur place un jeune Turc, Mehmet Ali Agca, l'arme à la main. Il a déjà été emprisonné pour meurtre en Turquie, mais s'est évadé deux ans auparavant; la police de toute l'Europe le recherche en vain. Il voyage pourtant beaucoup: en Bulgarie, en Allemagne, en Italie... Il ne pourrait jamais se promener ainsi sans l'appui d'un réseau de soutiens.

À la suite du procès d'Agca, la justice italienne, par la cour d'Assise, résume son point de vue sur l'incident: il serait le «fruit d'une intrigue complexe orchestrée par des ombres cachées intéressées à une déstabilisation».

Depuis lors, le présumé attaquant du pape a parlé plusieurs fois. Il a répété qu'il s'agissait d'un complot organisé sous la conduite immédiate du gouvernement bulgare (l'Italie a arrêté un représentant bulgare à Rome), guidé de loin par le KGB, la police secrète d'U.R.S.S. À l'époque, le chef du KGB se trouvait être... justement Youri Andropov, jusqu'à ces derniers temps maître incontesté du Kremlin!

Evidemment, personne ne peut prouver ces suppositions. Un certain nombre d'indices orientent les spéculations. Devant un événement semblable, on ne peut éviter de poser la question policière classique: «À qui profite le crime?» Dans le cas présent, l'attentat aurait sûrement profité au gouvernement communiste polonais — et par la bande à l'U.R.S.S. — en réduisant le pape au silence au sujet de la Pologne, en faisant disparaître de la carte le citoyen polonais le plus influent avec Lech Walesa.

Saura-t-on jamais un jour le fin fond de l'histoire?...

* * *

Le Pape a pardonné du fond de son cœur à son assaillant. Le 27 décembre 1983 il le rencontrait dans sa prison de Rome et s'entretenait longuement avec lui. Au terme de ce dialogue, les paroles du pape furent très simplement: «Je lui ai pardonné et il a toute ma confiance.»

Le Pape parle de...
la souffrance

Face à toute souffrance, les bien-portants ont un premier devoir: celui du respect, parfois même du silence.

N'est-ce pas le cardinal Pierre Veuillot, archevêque de Paris, si rapidement emporté par une implacable maladie voici une quinzaine d'années, qui demandait à des prêtres qui le visitaient de parler de la souffrance avec beaucoup de circonspection.

Ni juste, ni injuste, la souffrance demeure, malgré des explications partielles, difficile à comprendre et difficile à accepter, même pour ceux qui ont la foi.

(Allocution «Trois lumières pour le cœur des malades», Lourdes, août 1983.)

Qui protège le pape?

Le Souverain pontife demeure un personnage important dans le monde. Il en devient d'autant plus objet de controverse, de pression, voire de violence. On l'a bien vu en 1981, alors qu'il a été victime d'un attentat.

Un personnage comme le pape doit donc être protégé, chez lui et spécialement lors de ses déplacements.

Il existe au Vatican un corps de sécurité publique composé de policiers et d'inspecteurs. Ils ont comme charge principale la surveillance des portes d'accès aux divers édifices et l'examen des papiers d'identification des visiteurs.

La garde suisse, que l'on voit si souvent sur les photos touristiques, a été créée en 1506, alors qu'elle était chargée de la défense du palais et de la personne du pape. Elle est composée de jeunes de moins de 25 ans originaires de la Suisse, ayant achevé leur école militaire et prêts à passer deux ans au service du Saint-Siège: son effectif total est de 72. La garde suisse demeure le seul corps armé en service au Vatican; en plus de son attrait touristique, on l'a dit d'une étonnante efficacité.

Quand le pape se déplace à l'étranger, il est protégé de gardes du corps qui l'entourent de très près. Pour tout le reste, sa protection est confiée aux différentes polices nationales. Dans certains pays et à certains moments, ce sont des milliers de policiers ou de soldats qui sont affectés à la sécurité.

Les gardes suisses, en costume coloré, hallebarde à la main, assurent le bon ordre au Vatican.

Des gardes du corps protègent le pape lors de ses déplacements à l'étranger.

Depuis l'attentat contre lui, le pape voyage parmi les foules dans sa jeep blanche blindée. Certains commentateurs croient qu'il porte également une veste «pare-balles».

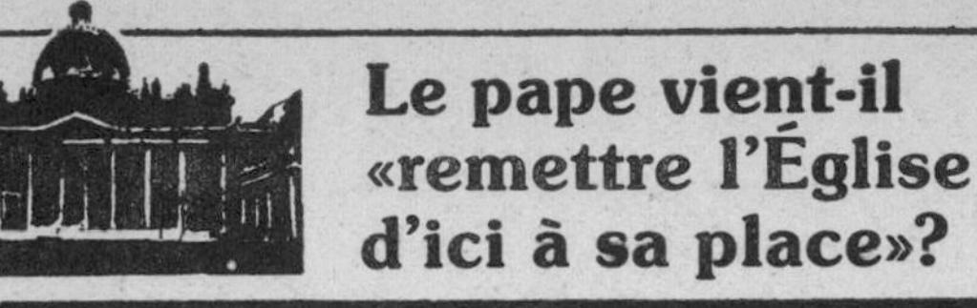

Le pape vient-il «remettre l'Église d'ici à sa place»?

À sa première visite au Canada, en 1969, le cardinal Karol Wojtyla aurait été atterré par la désaffection religieuse subite qui avait balayé le Québec depuis les années 1960. Les similitudes et les différences paraissaient frappantes, en effet: comme la Pologne, le Québec avait représenté une foi inébranlable alliée à un nationalisme de résistance; mais, contrairement à la Pologne, le Québec récent avait semblé rejeter la tutelle religieuse pour affirmer son autonomie et sa ligne d'avenir en dehors de tout lien explicite à la foi chrétienne: un résultat typique de la sécularisation. On constate une situation analogue dans les autres provinces canadiennes.

La visite du pape vise-t-elle donc à nettoyer la maison, à remettre de l'ordre dans l'Église canadienne, comme certains l'ont affirmé?

Quand l'épiscopat canadien a invité le pape à venir rencontrer la chrétienté de tout le pays, les objectifs d'une telle visite étaient strictement d'ordre pastoral: fournir une occasion aux chrétiens de redécouvrir qu'ils sont l'Église, qu'ils forment communauté dans l'amour, l'espérance et la foi en Jésus Christ. Le pape vient ici rencontrer ses frères et sœurs dans la foi, tout comme saint Paul visitait les chrétientés de Corinthe ou d'Éphèse aux premiers temps de l'Église.

Parce qu'il est aussi chef de l'État du Vatican et parce qu'il est un personnage important, le pape aura à se plier à quelques rencontres protocolaires avec les personnages politiques des différents niveaux. Mais la visite n'a pas une visée politique. L'État y est nécessairement impliqué, surtout parce qu'il doit assurer à l'éminent visiteur une protection policière efficace.

Il faut également qu'il y ait consultation de toutes les parties impliquées pour déterminer le meilleur moment de la visite, les régions à visiter, les rencontres à prévoir avec les officiels religieux (le pape voudra certainement saluer les responsables des autres Églises chrétiennes) et civils. Enfin, on doit déterminer où se dérouleront les grands rassemblements, quelles activités on prévoit au plan régional ou local, quels citoyens et citoyennes nous représenteront auprès du pape, etc.

Célébrons notre foi

Les évêques canadiens ont choisi comme thème de la visite papale: *Célébrons notre foi*. Qu'est-ce que cela veut dire? D'abord et avant tout *accueillir*.

Accueillir le pape, bien sûr, comme témoin privilégié de la foi. Mais, bien au-delà, accueillir la présence du Christ dans l'histoire, dans notre histoire: celle qui nous a précédés et à travers laquelle on nous a transmis la foi. Accueillir aussi la présence gratuite de Dieu au cœur de nos vies aujourd'hui. Accueillir enfin l'avenir, en sachant insérer Jésus Christ dans nos projets de vie.

«Célébrer notre foi», pour les évêques canadiens, cela signifie donc recevoir le pape et s'associer à lui pour accueillir le Christ aujourd'hui, dans une communauté chrétienne vivante, qui se tient debout et est heureuse de donner témoignage de ses convictions, en rendant grâce à Dieu.

En tout cela, quelle sera l'attitude du Pape? L'organisateur responsable de la visite du pape au Brésil, en 1980, l'abbé Gérard Dupont, répond: «Le pape parcourt le monde avec sa liberté, avec sa vision de l'homme et avec sa théologie. Il parle aux gens à partir de leur vécu, à partir de leurs aspirations les plus profondes au bonheur et aussi à partir de sa propre expérience humaine qu'il est allé chercher au cours de sa jeunesse jusque dans les mines de Pologne. Dans un monde durci par les idéologies, il fait part de sa vision évangélique de l'être humain. Pour les croyants, il est le frère qui vient confirmer ses frères dans leur foi.»

Remettre l'Église à sa place? Non vraiment. Plutôt inviter les chrétiens de ce pays à se poser les bonnes questions: les interpeller sur le matérialisme ambiant, les éveiller aux problèmes des autres peuples à travers le monde (surtout les pays exploités), rappeler les droits humains vis-à-vis des exploités de notre propre société, notamment les autochtones, remettre à l'horizon chrétien la valeur de la prière et de l'engagement au nom de sa foi...

Si l'Église c'est le peuple, c'est au peuple et à chacun de nous que le pape s'adressera. À chaque chrétien et chrétienne, à chaque groupe de chrétiens de bien assimiler cette visite: elle prendra son sens et sa valeur dans la mesure même où on l'aura préparée.

JEU-PARTICIPATION

Questionnaire-test sur une visite

Question n° 1: Quel sens donnez-vous au voyage du pape ici?

Question n° 2: À quoi ça sert, un pape?

Question n° 3: Que pensez-vous de la richesse du Vatican et du pape?

Question n° 4: Pourquoi le pape voyage-t-il?

Question n° 5: Qu'est-ce qui vous frappe le plus dans la personnalité du pape actuel?

Question n° 6: Comment vous impliquez-vous dans votre Église, d'ici?

Question n° 7: Allez-vous vous engager davantage après la visite du pape: si oui, dans quoi?

Prochain jeu-participation, p. 131.

Les détails sur le jeu se trouvent en page 147.

Le pape parle du...

partage des biens

Le partage équitable des biens est une autre importante question. Vous y êtes d'autant plus sensible que vous ne semblez pas éblouis par la société de consommation et de plaisir que vous connaissez bien en Europe, et surtout vous avez fait l'expérience de la misère de vos frères à travers les pays du tiers monde, par vos séjours au milieu d'eux ou les témoignages reçus à leur sujet dans vos lettres circulaires.

Oui, l'Évangile presse les chrétiens de remédier aux inégalités qui empêchent une grande partie des hommes de satisfaire leurs besoins élémentaires de nourriture, de logement, de soin.

(Allocution aux 25,000 jeunes Européens, rassemblés à Rome par la communauté de Taizé, décembre 1982.)

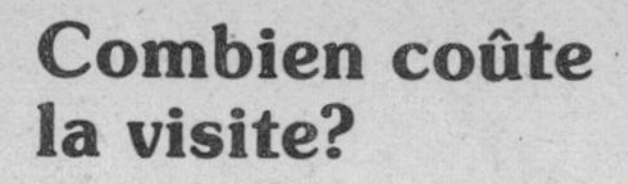

Combien coûte la visite?

Le pape s'en vient! À quel prix?

Tous ces nombreux reportages écrits et surtout visuels sur les voyages du Pape en ont fait un événement qui va pratiquement de soi. Cependant les préparatifs de l'accueil sont à peine commencés que déjà des chiffres surprenants circulent dans les sacristies ou les salons.

Scandale! On parle de 5, 10 et même de 15 millions... À vrai dire, on ne le sait pas!

On sait cependant qu'il est allé dans beaucoup d'autres pays, même plus pauvres. Et puis, même si c'était 15 millions, n'est-ce pas une bagatelle quand on compare cela à nos autres dépenses (seulement pour les alcools, plus d'un milliard de dollars par année au Canada!).

Même si sa visite est pastorale, le Pape n'a pas été invité sans qu'on en dise un mot aux différents niveaux de gouvernement. Non seulement on s'est montré d'accord, mais on a offert une généreuse collaboration.

Les déplacements du Saint Père à l'intérieur du pays ainsi que sa sécurité sont assurés par les gouvernements. Il en est de même pour sa suite et les journalistes accrédités auprès du Saint-Siège. Les autorités civiles assument aussi une bonne part des autres dépenses.

Il y a là, certes, un geste de considération pour le Pape, mais aussi d'autres bonnes raisons, qui devraient calmer ceux et celles qui auraient le goût de rouspéter. Il faut bien reconnaître que les divers gouvernements vont retirer des sommes rondelettes de l'afflux de touristes et de journalistes du monde entier; la stimulation de l'économie affectera les restaurants, les hôtels, les imprimeries, tous les corps de métiers, et amènera des revenus additionnels dans les coffres de l'État.

Et puis il y a tout le prestige que le pays va retirer de cette présence au monde à travers les médias de masse qui seront tournés vers le Saint Père, sur nous, nos institutions, nos campagnes et nos villes.

Bien sûr l'Église ne compte pas seulement sur les autres pour assurer le financement de la visite papale. Elle sait la générosité et la légitime fierté des fidèles. Une première quête, qui a eu lieu en juin 1983, a recueilli environ $1 800 000. On n'a pas encore décidé s'il y en aura une autre mais il est vraisemblable qu'on en appellera une autre fois à la générosité des Catholiques. Donc un chapitre à suivre...

E ALIGHIERI

Le pape parle du...
progrès

L'homme, comme homme, dans le contexte de ce progrès, devient-il véritablement meilleur, c'est-à-dire plus mûr spirituellement, plus conscient de la dignité de son humanité, plus responsable, plus ouvert aux autres, en particulier aux plus démunis et aux plus faibles, plus disposé à donner et à apporter son aide à tous?

(Osservatore Romano, 20 mai 1980.)

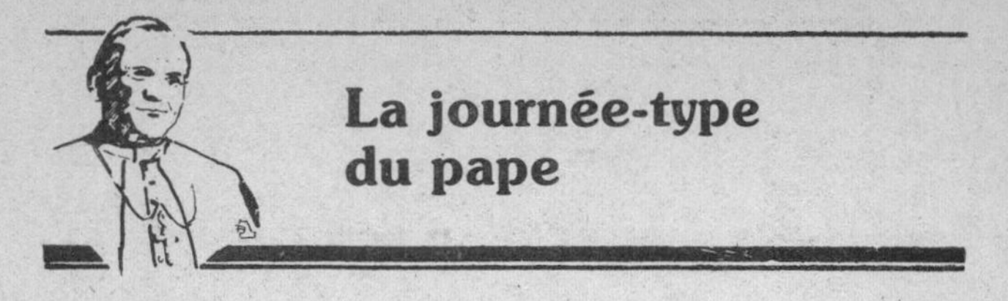

La journée-type du pape

Le pape Jean-Paul II a l'habitude de se lever vers 5 h 30. Après sa méditation, vers 7 h, il concélèbre la messe avec les évêques, en présence d'un groupe de fidèles (limité à une cinquantaine, à cause de la petitesse de la chapelle): il s'agit le plus souvent d'évêques en visite à Rome, de membres de conseils généraux d'ordre religieux, de représentants d'organismes, de groupes de malades, etc.

Vers 8 h, c'est le petit déjeuner. Le Saint-Père invite alors souvent à sa table certaines personnes avec lesquelles il désire s'entretenir plus longuement.

Puis il se rend à son bureau de travail. Il reçoit d'abord ses plus proches collaborateurs, avec lesquels il s'entretient du programme de la journée, des affaires courantes, des documents importants, de la correspondance. Il reste seul ensuite jusqu'à 11 h.; ce sont des moments rigoureusement réservés au travail personnel (réflexion, lecture, prière), il ne reçoit personne.

À partir de 11 h. commencent les audiences privées (environ 450 à 500 par année). De nombreuses personnalités se succèdent à son bureau, tant politiques que sociales et religieuses. Il accorde une attention toute spéciale aux évêques venus à Rome rendre compte de leur administration (on dénomme cette visite «ad limina»; elle a lieu tous les cinq ans).

Le reste de la matinée est consacrée aux autres audiences de groupes.

À la fin des audiences, c'est l'heure du repas, vers 13 h 45. D'habitude, il s'agit de repas de travail où le pape invite les personnes avec qui il désire discuter plus longuement des questions abordées auparavant.

Le repas terminé le pape se repose une demi-heure; puis il sort sur la terrasse pour marcher, prier et étudier les langues des pays qu'il visitera. Il retourne à son bureau vers 18 h 30, pour continuer les audiences avec les responsables des diverses congrégations romaines.

Le repas du soir a lieu vers 20 h: c'est l'occasion également d'échanges de travail. Le repas fini, le Saint-Père retourne à son bureau où il étudie les documents reçus des divers organismes de la Curie: il y fait ses remarques, il souligne les modifications à y apporter. Il consacre aussi ces heures à la préparation des audiences du lendemain en étudiant la documentation appropriée, fait de la correspondance, de la lecture, lit les journaux...

La journée du pape se termine vers 22 h 45 par la prière privée et la récitation des complies (la prière du soir du bréviaire).

S'il arrive que son horaire soit modifié en raison de certaines affaires urgentes, jamais Jean-Paul II ne renonce à ses pratiques religieuses et à ses prières, même quand il est en voyage à l'étranger. Deux jours dans la semaine, le pape modifie son programme pour rencontrer les pèlerins. Tous les mercredis, il accorde une audience générale: soit dans la basilique Saint-Pierre, soit sur la place Saint-Pierre même où il circule dans sa jeep blanche (c'est à une de ces occasions qu'eut lieu l'attentat). Il se dirige ensuite à la grande salle Nervi (10,000 places), pour y rencontrer différents groupes et livrer un message pastoral.

Tous les dimanches, à midi, il apparaît à la fenêtre de son bureau de travail, récite l'angélus, livre quelques commentaires inspirés par la foi sur les principaux événements d'actualité de la semaine et donne sa bénédiction. À l'occasion des célébrations dominicales, il s'efforce de visiter le plus souvent possible l'une ou l'autre des paroisses de son diocèse de Rome.

L'été, il prend des semi-vacances à la maison d'été des papes, à Castel Gandolfo, à environ 35 km de Rome. Il s'y est fait construire une piscine. À des vieux cardinaux qui lui soulignaient qu'une piscine coûtait cher, il aurait répondu: ça coûte moins cher qu'un conclave pour élire un nouveau pape!

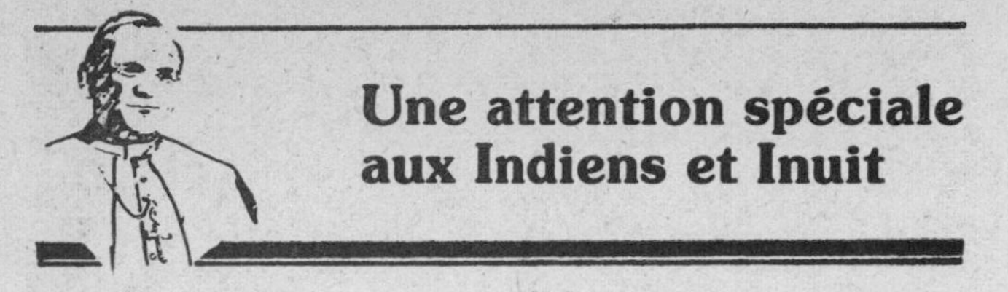

Une attention spéciale aux Indiens et Inuit

Au cours de son voyage au Canada, Jean-Paul II aura l'occasion de rencontrer des Indiens et Inuit à plusieurs reprises: à Ste-Anne de Beaupré, près de Québec; à Midland, en Ontario; dans l'Ouest canadien, à Winnipeg, Fort Simpson et Vancouver. Il redira alors un message qu'il a souvent communiqué aux Évêques missionnaires de passage à Rome.

Le Pape est conscient des injustices dont les autochtones ont été victimes dans le passé; il sait aussi combien l'avance de la «civilisation» menace leur héritage culturel. Il souhaite que le message de Jésus Christ vienne parfaire et mener à sa perfection une spiritualité qui découvrait le Créateur dans les forces vives et les beautés de la nature.

Il exprimait ce message de justice, en particulier, en parlant aux Indiens d'Amazonie, lors de sa visite au Brésil en 1980:

À vous-mêmes, dont les ancêtres ont été les premiers habitants de cette terre, qui avez eu un droit particulier sur elle tout au long des générations, je souhaite que soit reconnu le droit de l'habiter dans la paix et la sérénité, sans la peur d'être délogé au bénéfice de quelqu'un d'autre, mais assurés d'un espace vital qui sera une base non seulement pour votre survivance, mais pour la préservation de votre identité comme groupe humain, vrai peuple et vraie nation.

Le pape rencontre le chef Max Gros-Louis de la tribu huronne de L'Ancienne-Lorette, lors de la canonisation de Marguerite Bourgeoys à Rome, le 31 octobre 1982.

À 500,000 Indiens du Mexique, descendants des Mayas, réunis à Quezaltenango, en avril 1979, le Pape rappelle l'équilibre entre les valeurs traditionnelles et le message chrétien:

L'œuvre d'évangélisation ne détruit pas vos valeurs, mais s'incarne en elles, les consolide, les affermit. (...) Avec l'évangélisation l'Église renouvelle les cultures, combat les erreurs, purifie et élève la morale des peuples, féconde les traditions, les consolide et les restaure dans le Christ.

Le pape parle aux...
autochtones

Le campesino opprimé, le travailleur de la terre qui arrose son désespoir de sa propre sueur ne peut rien faire d'autre qu'espérer que sa dignité, qui n'est en rien inférieure à celle des autres classes de la société, sera enfin pleinement reconnue. Il a le droit de ne pas être privé de ses possessions élémentaires par des moyens parfois véritablement dégradants. Il a le droit de lutter dans l'indépendance pour une vie qu'il sait être meilleure. Il a le droit d'exiger que soient levées toutes les barrières mises en place par son exploitation... Il a droit à une assistance effective, qui n'est ni une aumône ni un simple geste de justice. Elle doit plutôt lui donner l'occasion de se réaliser qu'il mérite, du fait de sa dignité d'être humain et d'enfant de Dieu.

(Allocution à Oaxaca, ville du sud du Mexique, janvier 1979)

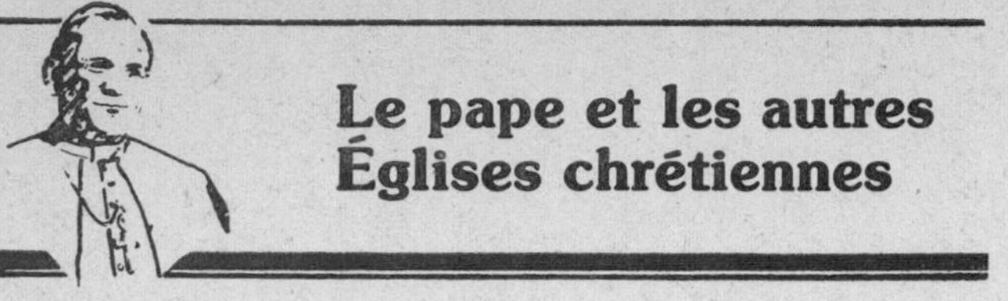

Le pape et les autres Églises chrétiennes

Au cours de son histoire, l'Église a connu bien des tiraillements. Aux niveaux de la doctrine, de la pratique de la prière, des comportements moraux, des chrétiens ont opposé leurs points de vue divergents... et cela a souvent résulté en séparations, hérésies, condamnations réciproques, etc.

Deux grandes déchirures ont laissé plus de traces que les autres à travers les siècles: celle des Églises orientales et de l'Église romaine, en 1054 (au temps de Michel Céroularios); et plus récemment celle de la Réforme (à compter du XVIe siècle), avec les différentes branches protestantes, anglicane, etc.

Souvent provoquées par des conflits de personnalités, des refus d'entreprendre des réformes qui s'imposaient, des appâts de gains, ces divisions entre chrétiens se sont durcies par la suite en doctrines parallèles et comportements pastoraux parfois opposés. Chaque Église a alors développé ses propres traditions. De nombreuses tensions ont prévalu jusqu'à tout récemment: beaucoup d'intolérance.

Depuis quelques années, et tout particulièrement depuis le concile Vatican II pour les catholiques, des efforts sérieux ont été entrepris pour rebâtir des ponts, selon la prière de Jésus: «Qu'ils soient un...»

Avec les Orthodoxes, les condamnations réciproques qui avaient été prononcés d'une Église à l'autre ont été officiellement levées. Le dialogue entre théologiens est bien engagé. Les préjugés disparaissent peu à peu.

Après des siècles de divisions entre les Églises chrétiennes, on assiste actuellement à un rapprochement. C'est ainsi qu'en novembre 1979 le pape Jean-Paul II s'est rendu à Istamboul (en Turquie) rencontrer le patriarche Dimitrios 1er, responsable de l'Église Orthodoxe.

Du côté des tenants de la Réforme, le dialogue, ardu au début, a connu dernièrement une nette progression, surtout avec l'Église anglicane. L'accueil très chaleureux réservé au pape lors de son voyage en Grande-Bretagne en a été une manifestation spectaculaire. Le dialogue théologique se poursuit également avec les Églises protestantes, spécialement par le comité conjoint de travail au Conseil Oecuménique des Églises.

L'un des points de divergences les plus explicites entre les différentes traditions chrétiennes demeure la conception qu'on se fait du rôle du pape. La primauté de l'évêque de Rome sur ses confrères évêques, son infaillibilité, posent un problème majeur aux non-catholiques romains, de même que la centralisation très forte autour de la Curie romaine. De sorte que le pape, qui de par sa fonction devrait représenter un ministère de communion entre les chrétiens, demeure pour beaucoup de ceux-ci encore une occasion de division. Malgré tout, des efforts théologiques communs se font constamment pour faire progresser les dossiers.

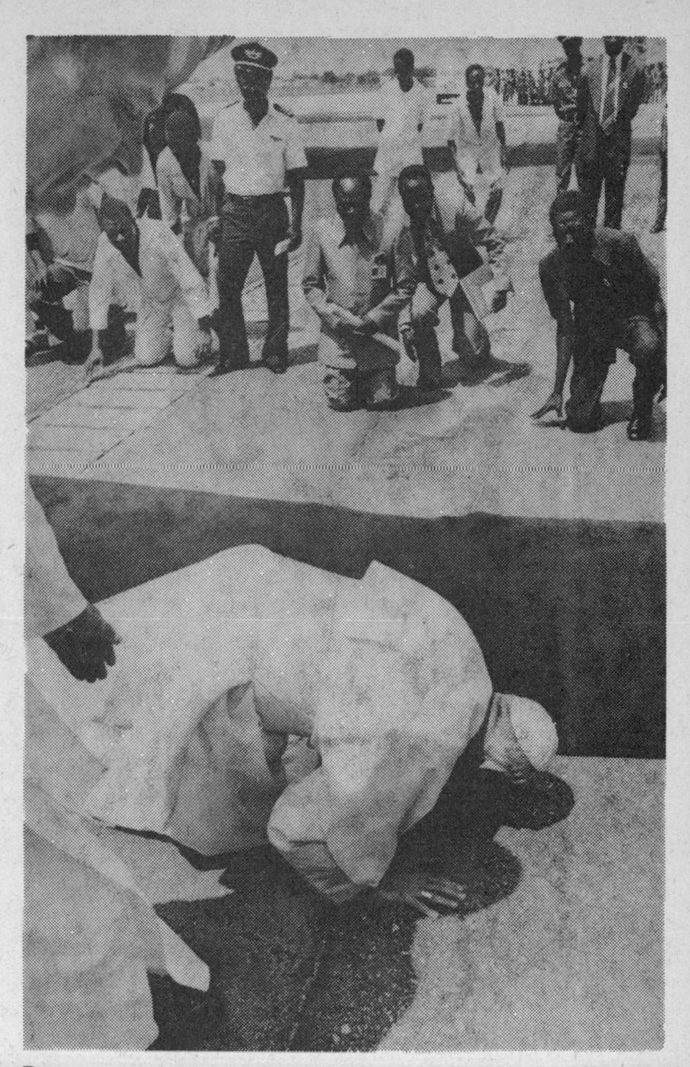

Par respect pour chaque peuple, en arrivant dans un pays le pape s'agenouille et baise le sol.

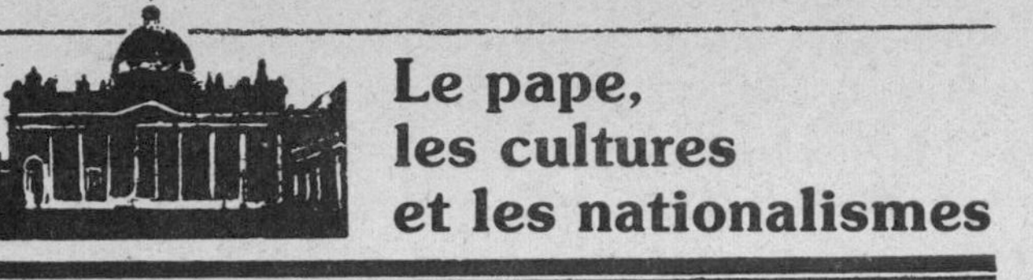

Le pape, les cultures et les nationalismes

De romaine et occidentale qu'elle était il y a à peine 150 ans, l'Église catholique est devenue plus présente à tous les continents et les cultures, au fur et à mesure que l'action missionnaire a engendré de nouvelles Églises locales dans les différents pays, spécialement dans le Tiers-Monde.

L'adaptation de la foi chrétienne aux vécus culturels des peuples de tous les continents n'est cependant pas facile à réaliser. Les missionnaires en savent quelque chose. Ce problème se révèle être au cœur des défis de l'évangélisation aujourd'hui, en fonction de chaque région du monde.

«D'Afrique surgit le thème de l'aculturation (ou intégration de l'Évangile dans les différentes cultures); d'Asie la question des religions non chrétiennes, de leur rôle dans les intentions de Dieu et de leur relation à la Bible judéo-chrétienne; d'Amérique latine l'appel pour une «libération intégrale», c'est-à-dire la demande d'une évangélisation jouant un rôle de catalyseur dans le processus de libération des peuples opprimés et donnant à ce processus un sens et une inspiration» (*Jean-Paul* II, pape de l'an 2000, p. 11).

De l'Amérique du Nord, de notre propre pays en plein processus de sécularisation, quels appels surgiront-ils, qui parviendront à joindre harmonieusement notre expérience de foi avec nos différences et complémentarités culturelles? Quelles couleurs nous sont propres dans notre façon de croire en Jésus?... Cela rejoint la question des particularités culturelles au Canada.

Karol Wojtyla, le pape actuel, a vécu dans sa jeunesse une expérience d'union profonde entre la foi et la culture polonaise. Ses études en langue polonaise l'ont amené à saisir les vibrations profondes de chaque parole prononcée, les vertus de chaque langue, de chaque culture, le respect qu'on leur doit. Ses prises de position en faveur de la liberté de chaque nation sont fréquentes.

À partir de son expérience polonaise, qui a fait une large place à la défense de la culture par rapport à la nation, Jean-Paul II sera-t-il tenté de prendre position en faveur des nationalismes: autochtone, canadien, québécois, acadien, etc.?

Sans doute évitera-t-il toute intervention intempestive, qui heurterait de front les tenants des diverses opinions politiques au pays. On peut prévoir cependant que les hommes politiques des divers clans, souvent présents à ses côtés dans les médias, tenteront de tirer les ficelles à la défense de leurs thèses et de récupérer son image et ses interventions.

Souvent, à la surprise générale, Jean-Paul II aborde directement les problèmes les plus difficiles. Le fera-t-il ici aussi? L'histoire nous le dira...

Le pape parle de...

l'unité des chrétiens

Depuis les premiers jours de mon élection comme évêque de Rome, j'ai considéré comme l'une de mes principales tâches de m'efforcer de réaliser l'unité de tous ceux qui portent le saint nom de chrétiens. Le scandale de la division doit être résolument écarté, de sorte que, dans les vies de nos Églises et dans notre service du monde, nous puissions tous faire se réaliser la prière du Seigneur: «Qu'ils soient tous un»...

«Je sais que l'un des problèmes fondamentaux du mouvement œcuménique est la nature de cette pleine communion entre nous que nous recherchons, et le rôle que doit jouer l'évêque de Rome, dans le plan de Dieu, au service de cette communion de foi et de vie spirituelle qui se nourrit des sacrements et s'exprime dans la charité fraternelle...

«Il est fondamental, pour ce dialogue, de reconnaître que la richesse de cette unité dans la foi et la vie spirituelle doit s'exprimer dans la diversité des formes. L'unité — que ce soit sur le plan universel ou sur le plan local — ne signifie pas uniformité ou absorption d'un groupe par l'autre. Elle est plutôt

au service de tous les groupes pour aider chacun à mieux vivre les dons qu'il a reçus de l'Esprit de Dieu. C'est là un encouragement à aller de l'avant avec confiance, en se laissant guider par le Saint-Esprit.

«Quelles que soient les amertumes héritées du passé, quels que puissent être les doutes et les tensions qui subsistent encore, le Seigneur nous appelle à aller de l'avant dans la confiance et l'amour mutuels. Si la vraie unité doit être réalisée, elle sera le résultat de la coopération entre les pasteurs au niveau local, de la collaboration à tous les niveaux de la vie de nos Églises, de sorte que nos fidèles puissent mieux se comprendre les uns les autres, dans la confiance et l'amour réciproque. Si chacun veut, non pas dominer l'autre, mais le servir, nous grandirons tous ensemble dans la perfection de l'unité pour laquelle Notre Seigneur a prié la veille de sa mort et à laquelle saint Paul nous a demandé de travailler ardemment.

(Allocution à une délégation du Patriarchat orthodoxe copte d'Alexandrie, juin 1979.)

JEU-PARTICIPATION

7

Fiche d'identification

Votre nom: ______________________________

Votre prénom: ______________________________

Téléphone: (__) ______________________

Âge (encerclez)

0 - 15   16 - 25   26 - 35

36 - 45   46-55   56-65   66 +

Sexe ☐ masculin   ☐ féminin

Profession: ______________________________

Statut civil: ______________________________

Religion: ☐ catholique

☐ autre, chrétienne

☐ autre, non chrétienne

Les détails sur le jeu se trouvent en page 147.

L'Église catholique chez nous

D'après les statistiques officielles, il y a près de 10 millions de Canadiens qui se réclament de la religion catholique, dont plus de la moitié vivent au Québec.

L'Église catholique canadienne a trop souvent été identifiée au groupe francophone. Depuis longtemps déjà, d'autres minorités culturelles ont enrichi l'Église de leur présence: Autochtones, Irlandais, Italiens, Portugais, Espagnols, Latino-américains, Polonais, Ukrainiens, Allemands, etc.

En tout, au-delà de 5900 communautés chrétiennes existent au Canada, paroisses ou missions. En plus, il faut compter les petits groupes informels qui se rassemblent spontanément en dehors des structures paroissiales officielles.

Ces paroisses sont regroupées en 74 diocèses, archidiocèses ou vicariats.

L'Église du Canada compte 97 évêques en responsabilités, titulaires de diocèses, coadjuteurs et auxiliaires, et 33 évêques retraités. Le nombre de prêtres s'élève à 12,375: 7243 séculiers et 5132 religieux.

Les religieux occupent une place fort importante dans l'Église d'ici. Les communautés religieuses et instituts séculiers d'hommes sont au nombre de 76: les communautés de Frères s'élèvent à 15. En tout, les religieux prêtres et frères totalisent plus de 8600 personnes.

Les communautés religieuses féminines sont beaucoup plus nombreuses, tant en nombre qu'en personnel: 131 communautés proprement dites, et 23 instituts séculiers. On estime à 37,634 le nombre des religieuses au Canada.

Ces chiffres peuvent étonner par leur ampleur. Et encore faudra-t-il mentionner les missionnaires canadiens à l'étranger: 1185 prêtres, 468 frères, 1900 religieuses et 101 laïcs, dans toutes les parties du monde: en tout, 3654 missionnaires, la plupart religieux. Mais il s'agit jusqu'à un certain point d'un trompe-l'œil; la moyenne d'âge des communautés religieuses oscille dangeureusement au-delà du 60 ans... et la relève est mince.

L'Église catholique au pays repose d'abord et avant tout sur le dynamisme de ses participants. Or elle a connu bien des désertions depuis quelques années. Bon nombre lui demeurent fidèles ou cherchent à vivre authentiquement leur foi en Jésus Christ à travers divers engagements dans la société et l'Église en vue de la construction du Royaume de Dieu.

D'autres, plus distants de l'Église organisée, lui conservent tout de même un regard sympathique malgré quelque rancune. Peut-être attendent-ils le moment favorable où ils pourront exprimer en toute liberté les convictions religieuses qui les habitent, sans crainte d'être exclus à cause de leurs critiques. Ou bien espèrent-ils la naissance de nouveaux lieux d'expression chrétienne, où ils pourront cheminer dans une foi renouvelée, au-delà des images lourdes et figées qu'ils retiennent de leur enfance?...

Si la pratique dominicale a fortement diminué récemment, beau coup de pratiquants occasionnels n'en demeurent pas moins des croyants à la recherche de nouvelles expressions de la foi. Les sanctuaires (ici la Basilique Notre-Dame du Cap) continuent d'attirer des milliers de pèlerins.

Trop souvent, dans le monde, les systèmes économiques et politiques engendrent l'injustice. «Ceci, c'est ma maison (dit le graffiti): rien que 4 murs, mais j'y vis heureux. Pourquoi veulent-ils m'en déloger?»

Le pape parle du

capitalisme/marxisme

D'un côté existe une approche rationaliste, scientifique, «éclairée» de ce qui s'appelle le libéralisme sécularise, dans les nations occidentales, qui transporte avec elle un rejet radical de la chrétienté; d'un autre côté, l'idéologie et la pratique du marxisme athéiste, dont les principes matérialistes sont poussés à leurs conséquences les plus extrêmes en des formes variées de terrorisme contemporain.

(À un groupe d'ouvriers de Turin, durant une grève à la compagnie Fiat, avril 1980.)

Une occasion en or!

L'Église catholique romaine a été virée sens dessus dessous depuis 25 ans: depuis qu'un certain pape nommé Jean XXIII a été élu pour assurer une «transition»... Toute une transition en effet: celle du concile Vatican II !

Pour le meilleur ou pour le pire? La plupart des catholiques d'ici croient que c'est pour le mieux. Certains nostalgiques des vérités toute faites et des réponses toute prêtes s'en plaignent amèrement. D'autres, par contre, aspirent à voir les conséquences de Vatican II se concrétiser plus rapidement, surtout en ce qui concerne la responsabilité des laïcs dans l'Église, en particulier au niveau des Églises locales, de même que leur engagement avec les plus exploités.

La visite de Jean-Paul II peut devenir l'occasion d'un choc salutaire, d'un réveil pastoral du clergé, comme d'un engagement plus militant de la part des chrétiens ordinaires que nous sommes. D'un questionnement aussi plus personnel sur ce qui mène nos vies.

Jean-Paul II n'est pas d'abord une vedette, mais un pasteur. Lors de son passage, la presse, la radio, la télévision le traiteront sous l'angle du spectacle: une «star» parmi d'autres sur le marché de grande consommation des médias.

Le chrétien convaincu et celui qui cherche de vrais témoins des valeurs spirituelles l'approcheront différemment: Jean-Paul II en visite chez nous leur

En voyant passer l'hélicoptère qui transporte le Saint-Père, la foule salue et proclame sa foi. La scène a été prise au Sanctuaire marial de la Manterella, près de Rome.

fournira une occasion en or de resituer leur vie par rapport aux choix de valeurs, d'idéaux et d'engagement qui lui donneront un sens, par-delà le matérialisme ambiant.

Un sens qui a nom Jésus Christ.

Où et quand voir le pape?

Jean-Paul II rendra visite aux Canadiens du 9 au 20 septembre 1984. Les grandes étapes du voyage sont déterminées, mais il reste encore beaucoup de détails à préciser. Il visitera les villes suivantes: Québec, Trois-Rivières, Montréal, St-Jean de Terre-Neuve, Moncton, Halifax, Toronto, Winnipeg, Edmonton, Fort Simpson, Vancouver, Ottawa. À cause des distances considérables, il reste peu de temps pour les rendez-vous. Dix jours, c'est court. Chaque minute compte.

N.B. Nous indiquons seulement la date et l'heure (temps local) d'arrivée à chacune des villes. À mesure que d'autres détails seront précisés dans les journaux et autres médias, nous vous suggérons de les écrire dans l'espace réservé à cette fin.

Horaire

Québec, 9 septembre, 12 h
Visite au Sanctuaire de Ste-Anne de Beaupré

Trois-Rivières, 10 septembre, 14 h
Visite au Sanctuaire de Notre-Dame du Cap

Montréal, 10 septembre, 20 h 30

St-Jean de Terre-Neuve, 12 septembre, 11 h 45

Moncton, 13 septembre, 9 h

Halifax, 13 septembre, 17 h 15

Toronto, 14 septembre, 13 h
Visite au Sanctuaire de Midland, dédié aux Martyrs canadiens

Winnipeg—St-Boniface, 16 septembre, 9 h 20

Edmonton, 16 septembre, 18 h 30

Fort Simpson, 18 septembre

Vancouver, 18 septembre, 12 h 30

Ottawa-Hull, 19 septembre, 15 h 30

Départ pour Rome, 20 septembre, 19 h.

Itinéraire du voyage du Pape

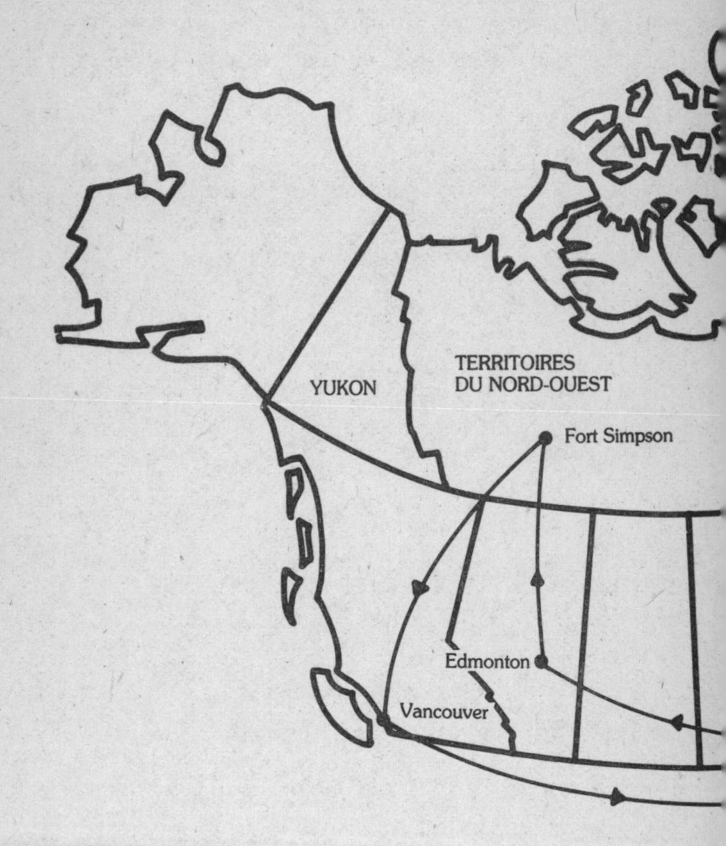

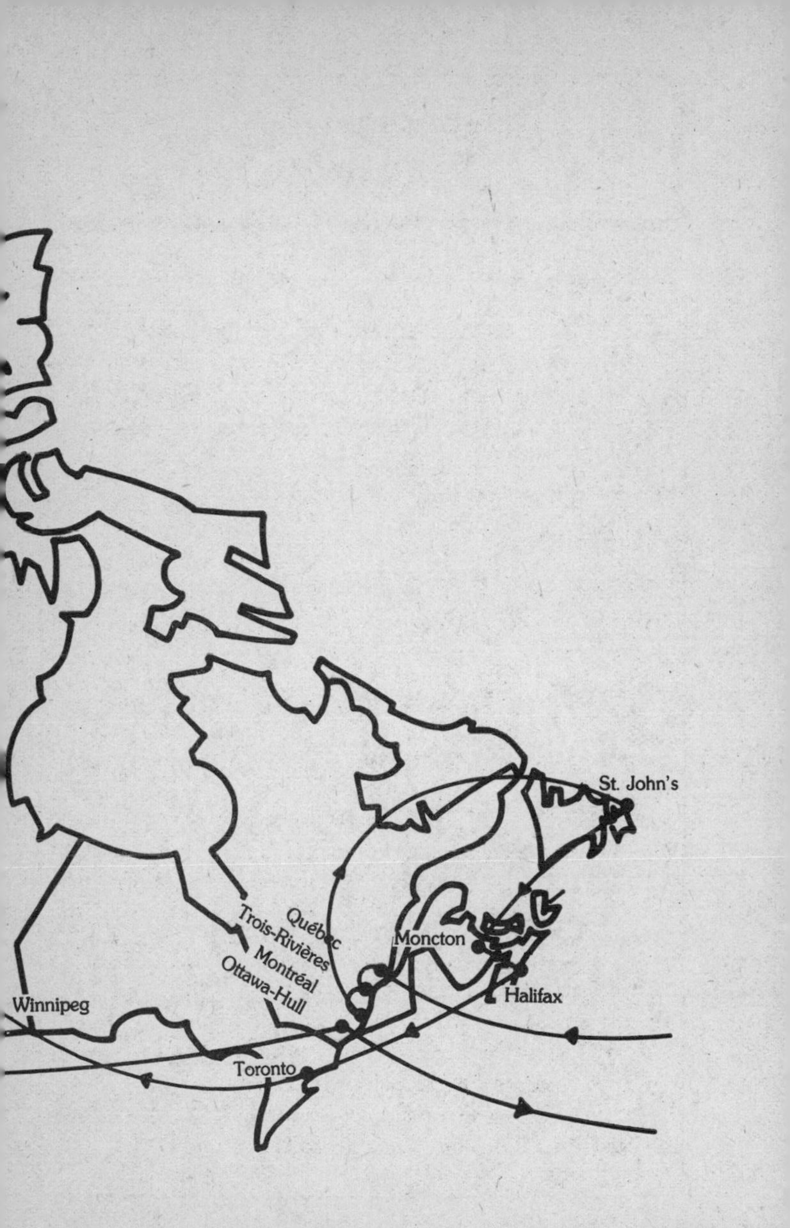
St. John's
Québec
Trois-Rivières
Montréal
Ottawa-Hull
Moncton
Halifax
Winnipeg
Toronto

Le pape parle de...

l'histoire

Le Christ est au centre. Le Christ ne peut être tenu hors de l'histoire de l'homme dans aucune partie du globe. L'exclusion du Christ de l'histoire de l'homme est un acte contre l'homme.

(Place de la Victoire, en Pologne, juin 1979.)

Jean-Paul II devant le célèbre et gigantesque Christ en pierre, à Rio de Janeiro au Brésil, en juillet 1980.

JEU-PARTICIPATION

Les règles du jeu

Prenez part, pour votre plaisir, au jeu-participation. Rien de plus facile.

Répondez aux six épreuves qui se trouvent aux pages 23, 40, 61, 75, 95 et 109.

Si vous le désirez, faites-nous parvenir vos réponses aux questionnaires des pages suivantes:

61 — Vous questionnez le pape
75 — Vous parlez au pape
95 — Vous aidez le pape à parler
109 — Questionnaire test sur une visite

Et joignez à votre envoi la fiche d'identification de la page 131.
Vos réponses pourraient éventuellement faire l'objet d'articles dans les journaux et revues. Adressez vos réponses (avant la fin d'avril, ou avant la fin d'août) à l'adresse suivante:

Jeu «Le Pape chez nous»,
Novalis, Université Saint-Paul,
223, rue Main, Ottawa K1S 1C4.

Merci à l'avance à ceux et celles qui répondront aimablement à cette invitation.
(La solution aux Mots-Croisés et au Mot caché se trouve à la page 77.)

Quelques livres-références

Jeunes mes amis. Le pape Jean-Paul II parle à la jeunesse du monde, Paris, Litho, 1982, 96 pages.

Peter KEBBLETHWAITE et Ludwig KAUFMANN, *Jean-Paul II, pape de l'an 2000*, Paris, Stock, 1979, 127 pages.

Jean-Paul II, de la Pologne natale au Vatican, Paris, JMG, 64 pages.

Lord LONGFORD, *Pope John Paul II, An Authorized Biography*, London, Michael Joseph/Rainbird, 1982, 224 pages.

M. MALINSKI, *Mon ami Karol Wojtyla*, Paris, éd. Le Centurion, 1980, 376 pages.

Kathryn SPINK, *Jean-Paul II et l'Esprit de sagesse et d'amour*, Aartselaar, éd. Chanteclerc, 1980, 130 pages.

Christian CHABANIS, *Jean-Paul II*, Paris, éd. Le Sarment, 1981, 30 pages [présentation pour les jeunes enfants].

Maria WINOWSKA, *Jean-Paul II tout à tous*, Montréal, éd. Paulines 1979, 128 pages.

Georges BLAZYNSKI, *Jean-Paul II, un homme de Cracovie*, Paris, éd. Stock, 1979, 350 pages.

Paul POUPARD, *Le Vatican*, Paris, P.U.F. (Que sais-je?), 1981, 128 pages.

Mgr Paul POUPARD, *Un pape, pour quoi faire?* Montréal, Presse Select Ltée, 1981, 346 pages.

Jacques MERCIER, *Vingt siècles d'histoire du Vatican de saint Pierre à Jean-Paul II*, Paris-Limoges, éd. Lavauzelle, 1979, 346 pages.

Le Pape Jean-Paul II, La grande biographie du Saint-Père (brochure en bandes dessinées couleurs), Tourcoing, Aredit, 1983, 68 pages.

Stan OBODIAC, *The Polish Pope and North America*, Toronto, Griffin House, 1979, 92 pages.

Le pape prie... Marie

La dévotion du Pape à l'égard de Marie est bien connue. À l'occasion de ses voyages, il se rend toujours prier dans les lieux de pèlerinage consacrés à la Mère de Dieu. Dans ses discours et ses homélies, il la présente comme une mère attentive à tous les besoins de ses enfants et aussi comme le modèle d'une vie de foi et d'espérance.

Après son attentat du 13 mai 1981, dans l'ambulance qui le conduisit à l'hôpital, le Pape souffrait beaucoup et répétait de courtes prières. Le prêtre qui l'accompagnait rapporte qu'il disait surtout: Marie, ma mère! Marie, ma mère!

Voici la prière qu'il composa pour la Journée mondiale de la paix, premier janvier 1979.

Mère, obtiens-nous la paix

Mère, qui sais ce que signifie porter dans ses bras le corps de son enfant mort, de celui auquel on a donné la vie, épargne à toutes les mères de cette terre la mort de leurs enfants, les tourments, l'esclavage, les destructions de la guerre, les persécutions, les camps de concentration, les prisons. Conserve-leur

Jean-Paul II en prière devant la grotte de Lourdes, en août 1983.

la joie de faire naître un homme, de développer la vie en lui. Au nom de cette vie, au nom de la naissance du Seigneur, implore avec nous la paix, la justice dans le monde. Mère de la paix, dans toute la beauté et la majesté de ta maternité, que l'Église vénère et que le monde admire, nous t'en prions: sois avec nous à chaque instant. Fais que cette année nouvelle soit une année de paix, en vertu de la naissance et de la mort de ton Fils.

À Bélem, au Brésil, il récita en juillet 1980 une prière à Marie, connue sous le titre «Litanie à Notre-Dame». Voici trois courts extraits de cette belle prière.

Mère, dans l'Évangile on vous voit montrer le Christ aux bergers et aux mages, faites que tout évangélisateur — évêque, prêtre, religieux, religieuse, père ou mère, jeune ou enfant — soit possédé par le Christ pour être capable de le révéler aux autres.

Notre Dame, cachée dans la foule quand votre Fils réalisait les signes miraculeux de la naissance du royaume de Dieu, et qui n'as parlé que pour dire de faire tout ce qu'il disait (Jn 2, 5), aidez les évangélisateurs à ne jamais se prêcher eux-mêmes mais Jésus Christ.

Mère, nous demandons par votre intercession, comme les disciples au Cénacle, une assistance continue et un accueil docile de l'Esprit saint dans l'Église; pour ceux qui cherchent la vérité de Dieu et pour ceux qui doivent la servir et la vivre. Que le Christ soit toujours la «lumière du monde» (Jn 8, 12); et que le monde nous reconnaisse comme ses disciples pour que nous demeurions dans sa Parole et que nous connaissions la vérité qui nous fera libres, de la liberté des fils de Dieu (Jn 8, 32).

Au-delà des frontières

«Pourquoi le Pape voyage-t-il comme cela?» C'était bien la centième fois qu'on me la posait, cette question. Plus chanceux que d'habitude, j'ai trouvé une réponse. Une image m'envahissait aussitôt la tête:

Une foule immense... Le Pape qui d'un bras l'interpelle tandis que de l'autre il s'appuie sur la croix. «Toute la réponse est là» me dis-je!

Une foule immense...

Rassembler un million d'hommes et de femmes sans qu'il y ait de revendications, de contestations, bien plus, sans qu'il y ait de match. Bravo, Jean-Paul!

Mais j'entends déjà le Pape me dire: «Attention, n'essaye pas de faire de moi une vedette. Il est vrai que les gens sont ensemble parce que je suis là, mais le fait le plus important maintenant, c'est qu'ils soient ensemble.» Une des grandes joies de ses voyages, c'est de donner aux femmes et aux hommes de ce temps d'être en coude à coude avec des centaines de milliers de personnes, de faire l'expérience symbolique d'une fraternité humaine à la grandeur de la terre, de donner le goût pour ainsi dire d'un coude à coude planétaire.

Le Pape qui d'un bras l'interpelle

La foule n'en demeure pas moins fascinée par cet homme qui, d'un bras tendu, appuie les interpellations qu'il lance à la manière des prophètes. Bien que l'on sache qu'il bouscule, qu'il contrarie même, on est venu, on est là!

J'aime à penser que l'Esprit qui est au cœur de chacun, particulièrement des petites gens, leur donne de trouver auprès de cet homme un réconfort, une espérance, mais plus encore une direction pour les rêves de dépassement qui les habitent. Et certes le Pape répond à ces attentes. Il dit avec chaleur et vérité l'amour qu'il a pour les malades, les vieillards, les jeunes, les démunis. S'il fascine tant, cependant, c'est sans doute parce qu'il provoque, interpelle, ouvre des chemins à la générosité du cœur, aux soifs de justice, à la volonté d'engagement.

Et cette croix...

Par ailleurs, à mesure qu'il parle, son discours tourne peu à peu nos regards vers cette croix sur laquelle il s'appuie et d'où il semble tirer toute son énergie et sa fascination. Plus on l'écoute, plus on entend l'écho de ses premières paroles comme Pape: *«N'ayez pas peur, ouvrez grand votre cœur au Christ; c'est lui le chemin, la vérité, la vie.»*

Ne pas demeurer enfermés sur nous-mêmes... Il nous rappelle que même pour nos aspirations les plus profondes, nous sommes des gens d'outre-frontières. D'instinct, la plupart des peuples prennent leurs vacances outre-frontières: ici par exemple on a le goût de la Floride... Eh bien, le Pape ne cesse de rappeler que nos soifs de justice, de fraternité, de bonheur et de paix, ne pourront jamais être étanchées aux seules sources humaines.

On le sait bien d'ailleurs que le pardon des ennemis, que l'amour qui réconcilie ou qui rend fidèle, que la vie pleine et qui dure, ne sont pas naturellement du pays de l'homme... Et on se désespère, et on se drogue et on devient violent. À ce monde souvent déçu mais toujours travaillé par ses aspirations, le Pape indique la frontière à rechercher, une frontière à trouver au plus intime de soi-même depuis que Dieu en Jésus a établi sa demeure au cœur de l'homme.

En bref, le Pape voyage pour travailler à refaire le tissu de la fraternité humaine et de la communauté chrétienne; pour redire les Béatitudes qui encouragent et interpellent; pour annoncer Jésus Christ, chemin de justice, de vérité et de vie.

Gérard Laprise, o.m.i.
Co-directeur du bureau national
de la planification pastorale
pour la visite du Pape.

Le pape parle du...
bonheur

Le Christ ne répond pas à la question de savoir si on peut être heureux. Il dit davantage comment on peut être heureux, à quelles conditions. L'homme se réalise lui-même dans la mesure où il sait s'imposer des exigences à lui-même. Dans le cas contraire, «il s'en va tout triste» (comme le jeune homme de l'Évangile qui n'a pas eu le courage d'abandonner ses grands biens). La permissivité morale ne rend pas les hommes heureux. La société de consommation ne rend pas les hommes heureux. Elle ne l'a jamais fait.

(À un groupe de jeunes, Paris, juin 1980.)

Table des matières

Un phénomène rare 5
Ses amis l'appelaient «Lolek» 9
Le pape parle aux jeunes 12
Le premier pape non-italien depuis 1522..... 14
Un vrai sportif 19
Le pape parle du sens de la vie 22
Acteur engagé et ouvrier 25
Le pape parle aux travailleurs............. 29
Un pape, ça sert à quoi? 31
Il choisit le sacerdoce au lieu du théâtre 35
Le pape parle des droits humains 39
Prêtre et... «éternel adolescent»............. 45
Le pape parle de l'engagement radical 49
Le pape est-il riche?....................... 50
Un évêque «réformiste modéré»............. 55
Le pape parle de l'enfant 60
Le Vatican, c'est quoi au juste? 63
Le pape parle du poids d'être pape........ 69
Comment élit-on le pape?.................. 70
Karol Wojtyla: l'homme..................... 73
Le pape parle de la prière................ 78
Karol Wojtyla: les idées-forces 81
Le pape parle de la croix................. 85
Tout ce que dit le pape est-il toujours vrai? ... 87
Grand voyageur devant l'Éternel 90
Le pape parle de la violence............... 97
L'attentat contre le pape 99
Le pape parle de la souffrance 101

Qui protège le pape? 102
Le pape vient-il remettre l'Église d'ici à sa place?106
Le pape parle du partage des biens........111
Combien coûtera la visite du pape?..........112
Le pape parle du progrès 115
La journée-type du pape.....................116
Une attention spéciale aux Indiens et Inuit ...119
Le pape parle aux autochtones 122
Le pape et les autres Églises chrétiennes......123
Le pape, les cultures et les nationalismes 127
Le pape parle de l'unité des chrétiens......129
L'Église catholique chez nous................133
Le pape parle du capitalisme-marxisme 137
Une occasion en or!.........................138
Où et quand voir le pape? 141
Le pape parle de l'histoire...................146
Quelques livres-références...................149
Le pape prie Marie........................151
Au-delà des frontières 154

Concours

1 - Qui est Jean-Paul II 23
2 - Mots croisés/Mot caché 40
3 - Vous questionnez le pape 61
4 - Vous parlez au pape...................... 75
5 - Vous aidez le pape à parler.............. 95
6 - Questionnaire-test sur une visite..........109
7 - Fiche d'identification......................131
Les règles du jeu.............................147